Murawiew, M.N.

Der Dictator von Wilna

C000161193

Murawiew, M.N.

Der Dictator von Wilna

Inktank publishing, 2018

www.inktank-publishing.com

ISBN/EAN: 9783747795200

Der

Dictator von Wilna.

Memoiren

des

Grafen M. N. Murawjew.

Muravef, Mikhail Nikolaevitch

Aus dem Russischen.

Mit einer biographischen Einleitung.

Leipzig,
Verlag von Duncker & Humblot.
1883.

Inhalt.

Graf M. N. Murawjew.

Innerhalb der beständig anwachsenden und schon gegenwärtig zu großer Bedeutung gelangten russischen Memoirenliteratur nehmen die vorliegenden auto-biographischen Aufzeichnungen des im Jahre 1866 verstorbenen Generals der Infanterie, Reichsraths-Mitgliedes, ehemaligen Domänen-Ministers und General-Gouverneurs von Wilna, Kowno, Grodno, Minsk und Witebsk, Grafen Michael Nikolajewitsch Murawjew eine Ausnahmestellung ein. Ein Mal wegen des Datums ihrer Veröffentlichung, zweitens wegen der Person ihres Verfassers und drittens wegen der Eigenthümlichkeit ihres Inhalts.

Dieses Memoirenwerk ist sechzehn Jahre nach dem Tode Murawjew's, zwei Jahre nach dem Ableben Kaiser Alexander's II., d. h. zu einer Zeit veröffentlicht worden, in welcher ein großer Theil der in demselben besprochenen Personen noch lebt und die Verhältnisse, von denen gehandelt wird, nahezu unverändert fortbestehen. Der Generation, welche den polnisch-litauischen

Aufstand und die große durch denselben bewirkte politische Veränderung erlebt hat, wird ein Einblick in die Werkstätten dieses geschichtlichen Ereignisses geboten, der als nahezu vollständiger bezeichnet werden kann.

Dinge, die noch vor wenigen Jahren als russische Staatsgeheimnisse behandelt und mit einem so dichten Schleier umgeben wurden, daß die bloße Berührung mit denselben für gefährlich galt, werden mit rücksichtsloser Offenheit behandelt, Partei- und Personen-Gegensätze der intimsten Natur bis in's Einzelne erörtert und Urtheile gefällt, die noch vor Kurzem wie Majestätsbeleidigungen behandelt worden wären. Die sonst nur aus Darstellungen zweiter Hand bekannt gewordenen Vorgänge der wichtigsten Periode von Alexander's II. Regierung erzählt einer der einflußreichsten Rathgeber des verstorbenen Monarchen, ohne gegen diesen oder gegen die in Betracht kommenden Männer des kaiserlichen Vertrauens die geringste Schonung zu üben. Und dieser Erzähler ist weder ein in Ungnade entlassener Staatsmann, noch ein Unzufriedener, der seiner Zeit vorausgeeilt wäre und der deshalb an die Nachwelt appellirte, sondern ein auf dem Gipfelpunkt von Macht und Ansehen verstorbener Diener der brutalsten Repressionspolitik, die jemals in einem civilisirten Lande ihr Wesen getrieben, der Verfechter siegreich gebliebener Grundsätze, und dabei ein geschworener Feind aller Oeffentlichkeit und aller Zugeständnisse an die öffentliche Meinung. Was er berichtet, bezieht sich auf Handlungen, die ihm von dem größten Theil seiner Zeit- und von vielen Landesgenossen zum schweren Vorwurf gemacht werden und von denen er wahrscheinlich selbst gewußt hat, daß sie auch in der Zukunft auf keine all'zu günstige Beurtheilung zu rechnen haben würden. Die Murawjew'sche Schrift ist ein Buch, in welchem der Verfasser sich selbst ebenso bedingungslos Preis giebt, wie seinen Herrscher, seine Amtsgenossen und sein Land. In der Ausrottung des geschichtlichen Charakters einer Landschaft, die Jahrhunderte lang polnisch und katholisch gewesen und in der Niedertretung eines Volkes, dessen nationale Eigenart seiner Meinung nach ein Hinderniß für die russische Staatsentwickelung bildet, — sieht er die Lösung providentieller Aufgaben, deren Wichtigkeit jede Frage nach der Natur der angewendeten Mittel ausschließt.

Der von ihm eingeschlagene Weg ist der allein richtige, allein zum Ziele führende — jeder Zweifel an der Unfehlbarkeit seines Systems Hochverrath an der russischen Nationalsache, jeder Versuch, ihm in den Weg zu treten, Todsünde. Seine Gegner sind als solche Schwachköpfe oder Verräther — oder Beides zusammen, einerlei was sie sonst sind und welchen Anspruch sie darauf besitzen, in Betracht gezogen und für urtheilsfähig angesehen zu werden. Russisches Regiment ist nur auf den

Trümmern westeuropäischer Civilisation möglich und weil die ursprünglichen Ordnungen und die herrschenden Klassen der litauisch-westrussischen Länder von europäischen Voraussetzungen ausgehen, sind sie bedingungslos und im Voraus verurtheilt!

Sache des Lesers wird die Entscheidung darüber sein, ob das Murawjew'sche Memoirenbuch vornehmlich in historischer oder in sittengeschichtlicher und national-psychologischer Rücksicht in Betracht kommt. Versteht er es, zugleich in und zwischen den Zeilen aufmerksam zu lesen und ist er über den Zusammenhang zwischen den berichteten Thatsachen und den allgemeinen Verhältnissen des Rußland der sechziger Jahre leidlich orientirt, so wird er aus diesen Bekenntnissen des Dictators von Wilna eine Belehrung über russische Zustände und Menschen schöpfen können, wie sie ihm sonst nicht geboten worden sein dürfte.

Zum Verständniß der Sache wird nothwendig sein:

1. auf Entstehung und Publication des vorliegenden Buches einzugehen,

2. Murawjew's Lebens- und Entwickelungsgang in Kürze zu recapituliren,

3. die Wirkungen des von Murawjew befolgten Systems auf den allgemeinen Gang der russischen Politik zu erörtern.

1.

„Des Grafen M. N. Murawjew Aufzeichnungen über seine Verwaltung des nordwestlichen Gebiets (d. h. der Gouvernements Wilna, Kowno, Grodno, Minsk und Witebsk) und die Bewältigung des Aufstandes in demselben, 1863—1866" sind in den Blättern der zu St.-Petersburg erscheinenden Zeitschrift „Russkaja Starina" veröffentlicht worden. Die im November v. J. erfolgte Publikation des ersten Abschnitts wurde von einer Redactionsanmerkung eingeleitet, der wir das folgende entnehmen.

„Graf M. N. Murawjew ist in den Spalten der „Russkaja Starina" sehr häufig erwähnt worden. Im Verlauf der dreizehn Jahre des Erscheinens unserer Zeitschrift sind wir ihm zunächst in den Aufzeichnungen verschiedener Dekabristen*) begegnet, die ihn, wenn auch nicht als Theilnehmer der eigentlichen Verschwörung, so doch als Mitglied und Gesinnungsgenossen der geheimen Gesellschaften bezeichneten; wir haben ihn sodann kennen gelernt als Domänen-Minister, eifrigen Gegner der „Bauern-Emancipation mit Land" und des großen vom

---

*) „Dekabristen" werden die Theilnehmer der Militär-Verschwörung genannt, welche sich während der letzten Regierungsjahre Alexanders I. gebildet hatte und am 14. (26.) December 1825 — bei Gelegenheit der Thronbesteigung des Kaisers Nikolaus — zum Ausbruch kam.

Kaiſer Alexander II. durchgeführten Befreiungswerks, —
endlich als den ... Murawjew von Wilna ....

Die vorliegenden Memoiren ſind von dem Grafen
M. R. Murawjew während der drei erſten Monate des
Jahres 1866 (vom 3. [15.] Januar bis zum 4. [16.]
April) einem der ihm unterſtellt geweſenen Beamten
Herrn A. M—w. dictirt worden. Mehrere Jahre lang
haben ſie in St.-Petersburg handſchriftlich circulirt;
am 7. December 1881 gelangten wir in den Beſitz einer
zuverläſſigen Abſchrift, welche wir unſern Leſern mit
Erlaubniß des hochverehrten älteſten Enkels des Grafen
zur Kenntniß bringen.

Der Zeitpunkt, in welchem Graf Murawjew dieſe
Mittheilungen über die Verwaltung des nordweſtlichen
Gebiets und die Niederwerfung des in demſelben ausge-
brochenen Aufſtandes dictirte, iſt in doppelter Hinſicht
von Wichtigkeit. Ein Mal, weil er bezeugt, daß das was
Murawjew erzählt, noch friſch in ſeinem Gedächtniß
lebte: hatte er doch erſt kurz zuvor ſein Amt als General-
Gouverneur niedergelegt. Zweitens erklärt ſich aus dieſem
Umſtande die außerordentliche Schärfe und Härte der
Urtheile, welche er über die ſeinem Syſteme widerſtreben-
den zeitgenöſſiſchen Miniſter fällt. Es erſcheint be-
greiflich, daß Murawjew unmittelbar nach Beendigung
ſeiner Wilnaer Verwaltung noch unter dem friſchen Eindruck des Kampfes ſtand, den er mit den Gegnern ſeiner

politiſchen Thätigkeit zu führen gehabt hatte .... Dabei muß bemerkt werden, daß Unparteilichkeit gegen Perſonen, deren moraliſche Eigenſchaften und politiſche Handlungen niemals Murawjew eigenthümlich geweſen iſt.

Es bedarf kaum der Erwähnung, daß die „Ruſſkaja Strarina" in dieſem, wie in zahlreichen ähnlichen Fällen lediglich die Abſicht verfolgt, hiſtoriſches Material zu liefern .... Künftige Hiſtoriker des letzten polniſchen Aufſtandes werden neben anderen geſchichtlichen Zeugniſſen, auch dasjenige des Grafen M. N. Murawjew abzuwägen, kritiſch zu ſichten haben u. ſ. w."

Es verſteht ſich von ſelbſt, daß dieſe Publication das größte Aufſehen erregte (das im November-Heft der „R. St." mitgetheilte erſte Capitel umfaßte S. 1—81 vorl. Ausg.) und daß ſie noch vor ihrem Abſchluß zahlreiche Erwiderungen hervorrief. Trotz der Strenge der Preßverwaltung wurde die „R. Starina" an dem Abdruck nicht verhindert: die von der Rigaſchen Zeitung begonnene deutſche Ueberſetzung des Werks mußte dagegen auf Anordnung der Cenſur-Behörde unterbrochen werden, nachdem bereits vorher einzelne Abſchnitte unterbrückt worden waren. An maßgebender Stelle war man offenbar der Meinung, daß dieſe von ſtreng nationalem Standpunkte abgelegten Bekenntniſſe für die Oſtſeeprovinzen Liv-, Eſt- und Kurland und für das

Ausland nicht passend seien, weil sie dort nicht auf Verständniß rechnen durften.

Wenn eine Rechtfertigung des Unternehmens, die Murawjew'schen Memoiren dem deutschen Publikum zugänglich zu machen, überhaupt erforderlich wäre, würde sie durch die vorstehend besprochenen Umstände beigebracht worden sein.

2.

Michael Nikolajewitsch Murawjew wurde im Jahre 1794 zu Moskau in einer Familie geboren, die sich durch Bildung, Freisinn und humane Gesinnung ausgezeichnet und dem russischen Staate eine große Zahl hervorragender Staatsdiener geliefert hat. Michaels Vater, Nikolai Murawjew (geb. 1768, † 1840) hatte als verabschiedeter Oberstlieutenant in der Umgegend Moskaus eine militärische Privatlehranstalt, die rühmlich bekannte „Schule der Kolonnenführer" errichtet, 1812 zum zweiten Male Kriegsdienste genommen und nach Beendigung des Feldzuges von 1814 sein pädagogisches Institut weiter fortgesetzt, bis dasselbe im Jahre 1816 staatsseitig übernommen wurde. Die „Schule der Kolonnenführer" galt ihrer Zeit für eine Pflanzstätte vorgeschritten liberaler und (was damals gleichbedeutend war) europäischer Ideen; einige der hervorragendsten Mitglieder der im Jahre 1825 entdeckten Militärverschwörung hatten in dieser Anstalt ihre Ausbildung erhalten und des alten Murawjew

ältere Söhne an den Geheimbünden, die der eigent-
lichen Verschwörung vorangegangen waren, lebhaften
Antheil genommen. Michaels ältester Bruder Alexander,
er selbst und ein Fürst Trubetzkoi hatten die „Gesellschaft
des öffentlichen Wohls" begründet, drei Vettern Artamon,
Alexander und Nikita M. und drei entferntere Ver-
wandte der Familie, die Brüder Sergei, Hippolyt und
Matwei Murawjew-Apostol an der Spitze der eigentlichen
Verschwörung gestanden. Sergei hatte am Galgen,
Hippolyt im Revolutionskampfe geendet, fünf andere
Murawjews (darunter Michaels Bruder, der in der
Folge begnadigte und in hohem Ansehen verstorbene
Alexander) als in Ketten geschlagene Hochverräther den
Weg nach Sibirien eingeschlagen. Bis in die neueste Zeit
hinein ist der Name Murawjew in den Kreisen des
russischen Radicalismus gefeiert geblieben; Michaels
zweiter Bruder, der im Jahre 1866 verstorbene ehemalige
Statthalter des Kaukasus und Vertheidiger von Kars,
Nikolai Murawjew-Karski stand bis an das Ende seines
Lebens im Ruf eines gewissen Liberalismus, von seinem
gleichnamigen Vetter, dem bekannten Grafen Murawjew-
Amurski berichtet Alexander Herzen, derselbe habe noch
als General-Gouverneur von Sibirien „tatarische mit
demokratischen, liberale mit despotischen Gesinnungen in
wunderlichster Art verbunden" und mit dem damals
seiner Obhut anvertrauten, als Staatsverbrecher in

Irkutsk lebenden Socialisten Michael Bakunin (seinem u[...]
des Wilnaer Murawjew Verwandten) — Tage und Näch[...]
lang über künftige Revolutions- und Welteroberungspl[...]
discutirt und sich's gefallen lassen, von dem tollsten all[...]
russischen Revolutionsmänner als designirter Feldhe[...]
eines gegen Oesterreich zu unternehmenden slawisch[...]
Kreuzzuges behandelt zu werden.

Ob es dem zur Zeit der Begründung der „Gesel[...]
schaft des öffentlichen Wohls" erst fünfundzwanzigjährig[...]
Michael Murawjew mit dem Cultus revolutionär[...]
Ideen jemals Ernst gewesen ist, ob er bloß die Mo[...]
mitgemacht oder ob er sich durch die national-panslav[...]
stischen Pläne angezogen gefühlt hat, mit denen ei[...]
Theil der Verschworenen sich trug, — wissen wir nich[...]
Genug, daß er seit dem Jahre 1821 jeder Theilnahm[...]
an den phantastischen Plänen seiner Verwandten u[...]
Altersgenossen entsagte, ausschließlich dem Militärdienf[...]
und seinem Lieblingsstudium, der Mathematik lebte u[...]
dadurch dem Geschick entging, in Untersuchung gezoge[...]
zu werden. Als halber Knabe hatte er die Schlacht b[...]
Borodino mitgemacht, als Jüngling Garniers „Handbu[...]
der analytischen Geometrie" in's Russische übersetzt, al[...]
vierunddreißigjähriger Mann bekleidete er bereits de[...]
Rang eines General-Majors in der activen Armee un[...]
nahm als solcher an der Niederwerfung des polnische[...]
Aufstandes 1830—31 Theil. Die furchtbare Stren[...]

mit welcher er als Militär-Gouverneur von Minsk, später von Grodno gegen die litauischen und weißrussischen Theilnehmer des Aufstandes (polnische Edelleute und katholische Geistliche) vorging, und der Fanatismus, den er bei den Versuchen zu gewaltsamer Russificirung der unirten Kirche zeigte *), erwarben ihm das Vertrauen des Kaisers Nikolaus, der eigentlich alle Murawjew's im Verdacht revolutionärer Gesinnungen hatte und die Namen der an dem Aufstande von 1825 betheiligt gewesenen Familien nie ohne finsteres Stirnrunzeln nennen hörte. Nachdem Michael Nikolajewitsch einige Jahre lang Gouverneur von Kursk, dann General-Director des Feldmessercorps gewesen war, wurde er zum Generallieutenant, General-Adjutanten und Mitgliede des Reichsraths befördert, in welcher Stellung er bis zum Ableben des Kaisers Nikolaus verblieb, ohne demselben persönlich näher gekommen oder zu einer leitenden Stellung herangezogen worden zu sein. Der finstere, plump aussehende Mann mit dem Bulldoggengesicht erfreute sich trotz seiner gründlichen und umfassenden Bildung und hohen geistigen Regsamkeit (er war Vice-Präsident der russischen geographischen Gesellschaft, Förderer zahlreicher geographischer Expeditionen und Leiter der in einem großen Theile des Reichs damals

---

*) Ueber die Geschichte dieser in den „Memoiren" wiederholt erwähnten Conversionen vgl. das Buch „Aus der Petersburger Gesellschaft", Bd. I., fünfte Auflage, S. 197 ff.

Dictator von Wilna.   II

vorgenommenen Vermessungen) allgemeiner Unbeliebtheit. Bei Hofe traute man ihm nicht, in der Gesellschaft galt er für gewaltthätig, brutal, hart, habsüchtig, für einen Feind jeder Art von Fortschritt — für den Typus eines altrussischen, an den schlimmsten Ueberlieferungen des altväterischen Militärdespotismus festhaltenden Generals.

Nur aus dem widerspruchsvollen Charakter der ersten Periode von Alexander II. Regierungszeit und aus der Allgewalt einer Tradition, nach welcher russische Staatsmänner nichts weiter als bevorzugte Werkzeuge des zarischen Willens sind, kann erklärt werden, daß der liberale Nachfolger des Kaisers Nikolaus seine Pläne zur Aufhebung der Leibeigenschaft dadurch einleitete, daß er den erklärtesten Gegner der Bauernfreiheit und jeder anderen Freiheit, im December des Jahres 1856 zum Minister der Apanagen und einige Monate später (April 1857) zum Domänen-Minister, d. h. zum Ober-Verwalter eines Ressorts machte, das seit seiner Begründung die Aufgabe gehabt hatte auf die Besserung der Lage des Landvolks einzuwirken und die Emancipation vorbereiten zu helfen. Vom ersten Tage seiner Verwaltung an zeigte Murawjew sich dem Gedanken der Aufhebung der Leibeigenschaft ebenso abgeneigt, wie den verschiedenen zur Ausführung dieser Maßregel vorgelegten Plänen. Er wiederholte bei jeder Gelegenheit, daß der bestehende

Zustand sich noch viele Jahre weiter fristen lasse und daß es voreilig und staatsgefährlich sein würde, an dieser Grunblage der bestehenden monarchischen Ordnung ohne zwingende Gründe zu rütteln. Sowohl in dem „Hauptcomité für Reorganisation der bäuerlichen Verhältnisse" wie später im Reichsrath hielt Murawjew an dieser Meinung fest, indem er den Gedanken, die emancipirten Leibeigenen mit Land auszustatten mit besonderem Eifer bekämpfte und dem für das Befreiungswerk persönlich engagirten Großfürsten Constantin die heftigste Opposition machte. Dabei blieb es auch in der berühmten Schlußabstimmung des Reichsraths (17. Februar 1861), in welcher drei kaiserliche Minister offen und direct, drei andere indirect gegen das Lieblings-Project ihres Herrschers stimmten und dennoch im Amte blieben! Murawjew hatte in dieser Sitzung den Antrag gestellt, daß sämmtliche den Bauern zu überlassende Grundstücke, vor Erlaß des Emancipationsgesetzes vermessen und verificirt werden sollten, — diesen Antrag trotz des Einwandes, daß eine solche Vermessung mindestens sechs Jahre dauern würde und daß der Kaiser die sofortige Emancipation beschlossen habe, rücksichtslos aufrechterhalten und die Stimmen von nahezu einem Drittheil der anwesenden Reichsrathsmitglieder (von 40 dreizehn) auf denselben vereinigt! — Dieser Haltung blieb der unbeugsame Reactionär bis an das Ende seiner Ministerschaft treu,

II*

indem er allen Reformgesetzen widersprach, immer
wieder zu rücksichtsloser Strenge und zu gewaltsamer
Repression der über das gesammte Reich verbreiteten
Bewegung rieth und die Anhänger abweichender Anschauungen ohne Ansehen der Person mit Spott und
Hohn überschüttete. Sein Verhältniß zu der Person
des Kaisers war seit der Berathung des Emancipationsgesetzes so vollständig zerrüttet, daß der Monarch den
ihm persönlich antipathischen Mann nur in dringenden
Fällen empfing und daß es für die damals im Vor-
schreiten begriffene liberale Hofpartei schließlich leicht
hielt, die Entlassung eines Ministers zu bewirken, der
sich der Willensmeinung seines Fürsten schlechterdings
nicht fügen wollte und die Regierung durch seine Unpo-
pularität und seinen Starrsinn compromittirte. Im
December 1861 legte Murawjew die Domänen-Verwaltung, bald darauf auch die Leitung des Apanagen-
Ministeriums und des Feldmesser-Corps nieder. Wie
es hieß war dieser Rückzug u. A. auch dadurch noth=
wendig geworden, daß der „Mann der alten Schule" in
Gemäßheit der Begriffe dieser Schule seine Stellung in
eigennütziger, schier unredlicher Weise ausgebeutet hatte.
Man sagte ihm nach, daß er sich seine Amtsreisen dreifach
(als Domänenminister, als Apanagen-Minister und als
Chef des Topographen-Corps) habe bezahlen lassen, man
gab ihm außerdem Schuld, seinen Beamten die schlimmsten

Mißbräuche nachgesehen, Staatsgüter unter der Hand
für Spottpreise aufgekauft zu haben u. s. w. — Was
es damit im Einzelnen auf sich gehabt, ist nie genau fest-
gestellt und dadurch der Meinung Raum gelassen worden,
daß mindestens ein Theil dieser Beschuldigungen auf
der Erfindung von Murawjew's zahlreichen Feinden be-
ruhte. Thatsache ist, daß er für habsüchtig und „Miß-
bräuchen zuneigend" galt, daß er in voller Ungnade entlassen wurde und daß der Ruf, den er bei Freund und
Feind erworben, schlecht genug war, damit die Kunde
von seinem Rücktritt allenthalben den lautesten Jubel
erregte. Man glaubte einen der gefährlichsten und hartnäckigsten Gegner des verhaßten alten Systems los geworden — und zwar für immer los geworden zu sein. —
·Murawjew's Vorgänger war der europäisch-liberale Graf
Kisselew gewesen, sein Nachfolger wurde ein Anhänger
der nationalen und demokratischen Partei, General
Seleny; bereits vor seiner Entlassung hatte der Kaiser
durch eine ganze Anzahl neuer Minister-Ernennungen
(Walujew erhielt das Innere, Reutern die Finanzen,
Golownin das Unterrichtswesen, Miljutin die Kriegs-
verwaltung) eine anscheinend entscheidende Wendung nach
der liberalen Seite vollzogen.

Ueber sein zweijähriges Otium (sine dignitate) und
seine die Jahre 1863 bis 1865 umfassende Verwaltung
des General-Gouvernements Wilna giebt der Memoiren-

schreiber so ausführlichen Bericht, daß auf diese Ab-
schnitte seiner Lebensgeschichte hier nicht weiter eingegangen zu werden braucht. Bezüglich der drei letzten
Monate von Murawjews irdischer Laufbahn werden
einige kurze Bemerkungen genügen.

Einige Monate, nachdem Murawjew von Wilna
nach St.-Petersburg zurückgekehrt war und wenige Tage
nachdem er die Niederschrift (genauer, das Dictat) seiner
Denkwürdigkeiten beendet hatte, am 4. (16.) April
1866 fand das erste der zahlreichen gegen das Leben
Kaiser Alexander's II. gerichteten Attentate statt. Ein
junger Mensch, der die Nennung seines Namens hartnäckig verweigerte und in dem erst sechs Tage später
der aus dem Gouvernement Saratow gebürtige ehemalige
Student Wladimir Karakosow recognoscirt wurde, hatte
auf den im Sommergarten lustwandelnden Monarchen
geschossen und durch diese That einen Schrecken erregt,
der die in unserem Memoirenbuche so anschaulich ge-
schilderten Wirkungen des „Ueberfalls bei Dünaburg"
noch beträchtlich übertraf. Die beiden, für die Sicher-
heit der kaiserlichen Person verantwortlichen höchsten Beamten, der Chef der dritten Abtheilung Fürst Dolgorukow
und der General-Gouverneur Fürst Suworow (zwei
„intime" Feinde Murawjew's) mußten ihre Stellungen
niederlegen, — der tief erschütterte Monarch aber rief
abermals nach dem ihm persönlich antipathischen Manne,

der bereits ein Mal den Nothhelfer gespielt hatte. Trotz seiner siebzig Jahre und seiner an Blindheit grenzenden Augenschwäche mußte Murawjew an die Spitze der Commission treten, welche die Person Karakosow's feststellen, die Untersuchung gegen diesen und seine etwaigen Mitschuldigen führen und das Strafurtheil sprechen sollte. Zum Schrecken seiner zahlreichen Gegner und aller human denkenden Leute in Rußland, nahm der inzwischen zum Grafen ernannte Exdictator von Wilna die ihm angetragene, mit n a h e z u unbeschränkten Vollmachten ausgestattete Stellung an: alle Welt machte sich darauf gefaßt, das „so erfolgreich" in den nordwestlichen Provinzen angewendete System auf das gesammte Reich ausgedehnt, gegen alle irgend im Geruch des Liberalismus stehenden Staatsmänner und Militärs eine förmliche Proscription ausgeschrieben zu sehen. Mit grimmigem Lächeln sollte der Murawjew „qui fait pendre" versichert haben, daß er gegen halbe und ganze Revolutionäre gleich unerbittlich vorgehen, kein Ansehen der Person und kein Erbarmen kennen werde. Er war der Mann sein Wort zu halten und außerdem durch Alter und Kränklichkeit so hochfahrend und reizbar geworden, daß auch die höchsten Würdenträger ihrer Haut nicht mehr sicher zu sein glaubten: ein Terrorismus, wie St.-Petersburg ihn seit den Tagen des Kaisers Paul nicht wieder erlebt hatte, schien in unvermeidlichem Anzuge zu sein.

Daß es dazu nicht kam, muß auf die Rechnung zweier Umstände geschrieben werden. Gleichzeitig mit der Ernennung Murawjew's zum Präses der Untersuchungs-Commission, war die Berufung des damaligen General-Gouverneurs von Liv-, Est- und Kurland Grafen P. A. Schuwalow zur Leitung der dritten Abtheilung erfolgt und — Murawjew überlebte die letzte der ihm gewordenen Auszeichnungen nur um wenige Monate. Dem gefürchteten Schreckensmanne wußte der neue Chef der politischen Polizei durch hohe Begabung, außerordentliche Geschmeidigkeit in den Umgangsformen und geschickte Benutzung des kaiserlichen Vertrauens so glücklich die Wage zu halten, daß dieser es für gerathen hielt, einem Conflict mit seinem Nebenbuhler aus dem Wege zu gehen und sich zunächst auf die directen Pflichten seines Amtes zu beschränken. Karakosow und der Mitwisser seiner That Ischurin wurden zum Tode, dreißig andere Personen zur Versendung nach Sibirien verurtheilt, neun bekannte St.-Petersburger Schriftsteller, zahlreiche Studenten und sonstige „Verdächtige" (unter diesen eine Gräfin Potocka) in die Peterpauls-Festung gesteckt — dann aber begab Murawjew sich auf sein Landgut Syrez bei Luga, um von seinen Thaten auszuruhen und für einen Winterfeldzug gegen die „Revolutionäre" Kräfte zu sammeln. — Zu einem solchen sollte es nicht kommen; am Morgen des 11. September 1866 (vier

Tage vor der Hinrichtung Karakosow's) wurde der gefürchtetefte Russe der neueren Zeit todt im Bette gefunden. Ein Herzschlag hatte seinem Leben das Ziel gesteckt.

3.

Der Betrachtung des verhängnißvollen Einflusses, welchen die von M. N. Murawjew befolgte Repressionspolitik auf den Gang der folgenden Ereignisse und auf den Charakter des gesammten russischen Staatslebens neuerer Zeit geübt hat, müssen einige Bemerkungen über dieses System selbst und über die Folgen vorausgeschickt werden, welche dasselbe für die zunächst betroffenen Landestheile, die ehemals litauischen und weißrussischen Gouvernements Wilna, Kowno, Grodno, Minsk und Witebsk gehabt hat. Wir bringen zunächst eine Schilderung zum Abdruck, welche ein glühender Verehrer des „nationalen" Retters von Litauen, der im Sommer des Jahres 1866 zum Civil-Gouverneur von Kowno ernannte wirkliche Staatsrath Kasnatschejew von den Zuständen entworfen hat, welche er in seinem Verwaltungsbezirk vorfand. Diese Schilderung beginnt mit einer Charakteristik des „missionären" Beamtenthums, welches Murawjew in die nordwestlichen Provinzen berufen hatte „um denselben ihren nationalen Charakter wieder zu geben"; sie lautet folgendermaßen:

„In den russischen Gouvernements, an welche

Murawjew sich mit seinem patriotischen Hülferufe gewandt hatte, war an fähigen und ehrlichen Beamten von jeher Mangel gewesen: Die vorliegende Gelegenheit war von den Verwaltern dieser Länder demgemäß dazu benutzt worden, sich desjenigen Packs zu entledigen, mit dem man Nichts anzufangen wußte. Wie Geier auf das Aas, so warfen diese Taugenichtse sich auf die westlichen Provinzen.

„Bereits mein Vorgänger war in die Nothwendigkeit versetzt worden, ganze Schaaren dieser Leute auf Staatskosten in ihre Heimath zurückzubefördern, und mir blieb Nichts übrig, als diesem Beispiel zu folgen; meine Hauptsorge war dabei, Maßregeln ausfindig zu machen, durch welche die Herren Reisenden verhindert wurden, ihr Reisegeld unterwegs zu vertrinken. Nichtsdestoweniger wurde ich mit der Forderung bedrängt, aus dem Innern des Reichs frisch angereiste Individuen anzustellen, die schlechterdings keine Bürgschaft für ihre Brauchbarkeit und Anständigkeit beizubringen vermochten. Die in ihren Stellungen verbliebenen polnischen Beamten waren unvergleichlich viel tüchtiger und fähiger als der Zuzug, dafür aber in hohem Grade unzuverlässig. Sollten die Geschäfte nicht in's Stocken gerathen, so mußte ich mit diesen Leuten bis auf Weiteres auszukommen suchen und geschehen lassen, daß dieselben mich in vieler Rücksicht nicht nur nicht unterstützten, sondern mir zuweilen direct entgegen arbeiteten." — Die wichtigste der Aufgaben, mit denen die Verwaltung damals betraut war, bestand in der Regulirung der Beziehungen zwischen Herren und Bauern und der Abgrenzung der den Letzteren bestimmten Ländereien. An die Stelle der früheren polnischen Friedensrichter, denen Parteilichkeit zu Gunsten der Herren zum Vorwurf gemacht worden war, hatte die Regierung nach Niederschlagung des Aufstandes aus russischen Beamten zusammengesetzte „Prüfungs - Commissionen" gebracht, welche auf strenge Befolgung der gesetzlichen Vorschriften über die Abgrenzung zwischen Herren- und Bauernland hinwirken und den loyalen Bauern den rebellischen Gutsbesitzern gegenüber zu ihrem Recht verhelfen sollten. Leitender Grundsatz war dabei, daß die Bauern alle diejenigen Territorien, die sie zuvor (gleichviel unter welchem Titel) inne gehabt hatten, zum freien Eigenthum erhalten und daß die von den Commissionen getroffenen bezüglichen Entscheidungen („Acte") Gesetzeskraft haben sollten. — Da bei diesen Entscheidungen zahllose Menschlichkeiten und noch zahlreichere tendenziöse Eingriffe in das gutsherrliche Eigenthumsrecht vorgekommen waren, hatten einflußreiche Vertreter des letzteren in St.-Petersburg Klage erhoben und die Intervention der Centralbehörden angerufen. Das war nicht ohne Wirkung geblieben und schließlich ein Conflict zwischen dem Nachfolger Murawjew's General-

Gouverneur Kaufmann und dem Minister des Innern Walujew ausgebrochen, über welchen Herr Kasnatschejew das Folgende berichtet:

„Ueber die fernere Behandlung der polnischen Frage gingen die Meinungen in St.-Petersburg weit auseinander. Diesen Meinungsverschiedenheiten entsprechend forderten einzelne höhere Beamte von ihren Untergebenen pünktliche Erfüllung der geltenden gesetzlichen Bestimmungen und insbesondere der Murawjew'schen Circuläre, — während Andere eine entgegengesetzte Richtung befolgten und ihren Unterbeamten mündliche Weisungen ertheilten, bie mit den Gesetzen schlechterdings nicht zu vereinigen waren . . . . Zur Zeit meiner Ankunft war zwischen dem General-Gouverneur und den St.-Petersburger Behörden ein offener Haber ausgebrochen, der auf den Gang der Agrarangelegenheiten geradezu lähmend wirkte. Während der General-Gouverneur in Gemäßheit eines „Allerhöchst bestätigten Murawjew'schen Berichtes" auf der gesetzlichen Kraft der von den Commissionen festgestellten Acte bestand, wurde die Geltung dieser Acte in St.-Petersburg direct bestritten. Die Folge davon war, daß weder die früheren von den Friedensrichtern getroffenen Entscheidungen, noch die „Acte" der Prüfungs-Commissionen ausgeführt, und daß beide betheiligten Parteien in fortwährender Ungewißheit erhalten wurden. Auf Grund bezüglicher an mich gebrachter Beschwerden

fandte ich bem General-Gouverneur einen eingehenden
Bericht, in welchem ich mir eine definitive Entscheidung
erbat und auf die Nothwendigkeit hinwies, daß der ob-
schwebenden Ungewißheit ein Ende gemacht werde." —
Die Einzelheiten Deffen, was über den ferneren Berlauf
dieser Angelegenheit erzählt wird, übergehen wir. Genug, daß die erbetene, dringend nothwendige Resolution
nicht zu erlangen war, — daß zwei aus Petersburg
nach Kowno entsendete Beamte in einem den Intentionen
des General-Gouverneurs direct zuwiderlaufenden Sinne
berichteten, — daß der Conflict immer größere Ver-
hältniffe annahm, und daß es schließlich zu einer Verwirrung kam, wie sie schlimmer nicht gedacht werden
konnte. Zunächst wurden die „Acte" bestätigt, und
dann hieß es wieder, die Sache werde noch einmal von
vorn angefangen und eine „freiwillige Verständigung"
zwischen Herren und Bauern in's Auge gefaßt werden!

Diese Schwierigkeit war aber nur eine unter vielen!
Auch auf anderen Gebieten zeigte sich, daß die Murawjew'-
schen Polenvernichtungs- und Ruffificationspläne zu
allen gegebenen Verhältniffen im Gegensatz standen und
auf bloßen Sand gebaut waren. Mit zunehmender
Deutlichkeit stellte sich heraus, daß das Unternehmen,
ein Land, in welchem 18,000 polnische Gutsbesitzer,
800,000 katholische Bauern, 500 von einem energischen
und hochgebildeten Bischof regierte katholische Priester

und 13,000 Juden lebten, mit Hülfe einer kleiner Schaar unfähiger Beamter zu ruffificiren, durchaus unausführbar sei. Ueber eine der in dieser Rücksicht gemachten Erfahrungen werden wir durch den Ex-Gouverneur von Kowno folgendermaßen belehrt: „Zur Zeit des Aufstandes hatten die in einzelnen Gebieten der nordwestlichen Provinzen lebenden ruffischen altgläubigen Sectirer (NB. Leute, deren Vorfahren vor der Undulbsamkeit der griechisch-orthodoxen Geistlichkeit in das damals polnische Großfürstenthum Litauen geflohen waren), der Regierung durch ihr loyales Verhalten wichtige Dienste geleistet und dadurch Murawjew's Aufmerksamkeit erregt. Der Graf arbeitete ein „Reglement betr. die Uebersiedelung und Anässigmachung von Altgläubigen und ruffischen Bauern im Gouvernement Kowno" aus und übergab dasselbe der Domänen-Verwaltung zur Ausführung. Seinem Plan gemäß sollten diese Ruffen in geschlossenen Complexen und ganzen Dörfern angesiedelt werden. So lange er selbst die Ausführung überwachte, war Alles gut gegangen .... Die Anfiedler sollten mit Feldern, Wiesen und Wald reichlich ausgestattet und außerdem mit den zur ersten Einrichtung erforderlichen Geldmitteln versehen werden. Die Domänen-Verwaltung vertheilte „Billets" für 165 solcher Ansiedlungen, sonderte 18,000 Desjätinen Land aus (die zum Theil confiscirten Gütern, zum Theil Domanial-Besitzlichkeiten entnommen waren) und ließ es auch an baarem Gelde nicht fehlen; in Summa war zu Gunsten dieser ruffischen Ansiedler eine halbe Million Rubel aufgewendet worden.

„Fast unmittelbar nachdem ich mein Amt angetreten hatte, drangen Gerüchte zu mir, nach welchen diese ruffischen Einwanderer sich in einer wahrhaft verzweifelten Lage befinden, ja vielfach Hunger leiden sollten. . Es verhielt sich in der That so: nicht eine einzige der Murawjew'schen Vorschriften war in Ausführung gebracht, sondern zu Folge unerklärt gebliebener Einflüsse so widersinnig wie möglich verfahren worden. In der Nähe der griechisch-orthodoxen Kirchen hatte man die (dieser Kirche feindlichen) Sectirer, — entfernt von den Kirchen die orthodoxen Bauern angesiedelt, die auf solche Weise verhindert wurden, ihre Kinder taufen und ihre Todten begraben zu lassen; an einzelnen Orten hatte man auch Glieder beider (NB. unter einander verfeindeter) religiöser Gemeinschaften durcheinander angesiedelt. Ein Theil der Landanweisungs-Billete war katholischen Städtern, ein anderer nicht-ruffischen Bauernknechten aus Kurland ausgeantwortet worden; dritte zur Ansiedelung bestimmte Leute hatten die ihnen ausgezahlten Geldsummen in die Tasche gesteckt und die Billets weiter verkauft, — wieder andere sich zur Ansiedelung gemeldet, bevor sie aus ihren Gemeinden ausgetreten waren und ihre Schulden an dieselben bezahlt hatten, so daß man ihnen die beantragte Entlassung verweigerte. Ebenso häufig waren die Fälle gewesen, in denen man den Ansiedlern Grundstücke angewiesen hatte, von denen sich schlechterdings nicht leben ließ: um nicht zu verhungern, hatten die Unglücklichen bei Polen und Juden als Arbeiter Dienste nehmen müssen. Endlich gab es unter den Ansiedlern eine große Zahl von Individuen, die zu selbständiger Wirthschaftsführung überhaupt nicht fähig waren. — Ganze Schaaren solcher Leute litten Hunger und schrieen nach Brod — Getreide war aber allein in den Magazinen der benachbarten Landgemeinden vorhanden, denen die Ansiedler nicht beigetreten waren, bezw. zu denen sie nicht beigesteuert hatten. Um der dringendsten Noth zu begegnen, mußte ich ohne Rücksicht auf die bedenklichen Folgen (die Gemeinden wurden mit Recht gegen die Ansiedler aufgebracht und diese letzteren gewöhnten sich daran, auf Geschenke zu rechnen) die Anordnung treffen, daß das nöthige Getreide aus den Gemeindemagazinen genommen werde . . . "

Die Beschäftigung mit dieser Materie führte zu einer andern, ebenso peinlichen Entdeckung: die Niederlassung der russischen Ansiedler hatte zu lebhafter Erbitterung von 7000 eben damals in ihre Heimath zurückkehrenden ausgedienten bez. beurlaubten Soldaten geführt. Es hing das folgendermaßen zusammen.

In Ergänzung des Emancipationsgesetzes vom

Jahre 1861 war durch den Artikel 18 eines am
25. Juli 1864 erlassenen Regulativs angeordnet worden,
daß die zur Zeit der großen agrarischen Reform im
Militärdienst befindlichen Glieder der Bauergemeinden
nach ihrer Rückkehr in die Heimath ebenso mit Land
ausgesteuert werden sollten wie die übrigen Gemeindeglieder. In Großrußland, wo jedes Gemeindeglied
Anspruch auf einen Theil des im ungetheilten Gemeinde-
Eigenthum befindlichen Ackerlandes besitzt und wo dieses
Ackerland periodisch unter alle männlichen und erwach-
senen Gemeinde-Angehörigen vertheilt wird, hatte es
mit der Ausführung dieser Vorschrift besondere Schwierigkeiten nicht gehabt; nach erfolgter Rückkehr der 1861
bei der Fahne befindlichen Soldaten waren, wo erforderlich, Neuvertheilungen des Ackerlandes vorgenommen
worden. Unbegreiflicherweise, — vielleicht in der Absicht
dadurch russificirend einzuwirken — hatte man diese von
specifisch großrussischen Einrichtungen ausgehende Vorschrift aber auch auf Litauen und Weißrußland ausgedehnt, wo es keinen ungetheilten Gemeindebesitz, keinen
Anspruch aller Gemeindeglieder an das Ackerland und
keine periodischen Neuvertheilungen desselben, sondern
lediglich geschlossene Höfe gab, deren Pächter zu Folge
des Emancipationsgesetzes Eigenthümer geworden waren,
die nach wie vor mit gemietheten Knechten wirth-
schafteten. In den wirthschaftlichen Verhältnissen dieser

letzteren war durch das Emancipationsgesetz keine Veränderung eingetreten. Als nun im Jahre 1867 die im Militärdienst gewesenen Knechte der litauischen Provinzen entlassen wurden, verlangten auch sie auf Grund des mehrerwähnten Regulativs „ihre Landantheile". Solche waren natürlich nicht vorhanden und konnten auch nicht beschafft werden, weil aller nutzbare Grund und Boden in den Händen der aus Pächtern zu Eigenthümern gewordenen Hofbesitzer geblieben war. — Die Wirkung dieser durch die Gedankenlosigkeit der Verwaltung verschuldeten, anscheinenden „Abweichung vom Gesetz" auf die heimkehrenden Vaterlandsvertheidiger war um so peinlicher, als dieselben fremde Ansiedler vorfanden, die gleichfalls keine Besitzansprüche besessen hatten und dennoch mit Land ausgesteuert worden waren. — Auch hierüber wurde nach St.-Petersburg berichtet, eine Entscheidung aber natürlich nicht erzielt!"

Herr Kasnatschejew fährt dann fort:

„Ebenso wichtig und noch dringender war die Aufgabe, Eigenthum und Leben der Einwohner der Provinz vor den das Land durchstreifenden Räuberbanden zu sichern. Diese Banden setzten sich aus Ueberbleibseln der polnischen Revolutionsschaaren und mit diesen verbündeter nothleidender Altgläubigen zusammen und standen unter Leitung von Juden, welche die Räuber mit Rath und That unterstützten. Die wenig zahlreiche und außerdem unfähige Polizei vermochte Nichts auszurichten, die unreformirt gebliebenen Gerichte*) zogen die Sachen endlos in die Länge und es blieb nichts übrig als Kosaken zu Hülfe zu rufen, die unfähigen Polizeibeamten allmählich zu entlassen, nach einem Ersatz für dieselben auszuschauen und die Untersuchung und Bestrafung des Räuberunwesens den Militärgerichten zu übertragen. Zu vollständiger Ausführung gelangte indessen nur eine dieser Maaßregeln, die Herbeiführung von Kosaken, — die Anstellung neuer, brauchbarer Beamten stieß auf die größten Hindernisse, da die über die vorgeschlagenen zumeist aus Großrußland angereisten Candidaten eingeforderten amtlichen Auskünfte durchaus unzuverläßig waren, nur langsam eintrafen und tüchtige Leute die ihnen gemachten Anerbietungen beinahe regelmäßig ausschlugen. Die einzelnen Beamten, die ich zu gewinnen vermochte, konnten aber nur mit Mühe gegen die Chicanen und Verfolgungen der Militär-Befehlshaber geschützt werden, welche der Civilverwaltung feindlich gegenüber standen. . . . .

Inzwischen war die Nothwendigkeit eingetreten, die Vorschriften betreffend den Zwangsverkauf der Güter

---

*) Die neue russische Gerichtsordnung war auf die litauischen Länder nicht ausgedehnt worden.

durch den Aufstand compromittirter Perfonen in Ausführung zu bringen. In dem mir anvertrauten Gouvernement gab es 170 folcher herrfchaftlicher Güter, was
9 % der Gefammtheit ausmachte. . . . . . Die Leute,
welche folche Güter zu kaufen wünfchten, zerfielen in drei
Hauptgruppen *):

Das Hauptcontingent bildeten durch ihre Wohl-
habenheit und ihr feftes Zufammenhalten übermächtige
Gutsbefitzer aus den benachbarten baltifchen Provinzen**).
Natürlich hatten fich diefe Herren die beften Güter aus-
gefucht, — die Frage aber war, ob diefelben zum An-
kauf überhaupt berechtigt fein und ob Perfonen baltifcher
Herkunft der Rechte theilhaftig werden follten, welche
auf Grund des Ukafes vom 10. December 1865 allein
„Individuen ruffifcher Extraction" zuftanden.

Die zweite Gruppe beftand aus vorgefchobenen
Leuten, deren wahre Abficht darauf ging, die confiscirten

---

*) Zum Verftändniß der Sache muß daran erinnert werden,
daß auf Grund eines von Murawjew erlaffenen Gefetzes nur Perfonen „ruffifcher Herkunft" zum Erwerb der in Litauen confiscirten
Güter zugelaffen, Polen und Katholiken grundfätzlich ausgefchloffen
fein follten.

**) Von Alters her befindet fich ein großer Theil im nördlichen
Kowno belegener Güter im Befitz deutfcher Edelleute und Bürger, welche
meift aus dem an Litauen grenzenden Kurland eingewandert find,
auf „kurländifche" d. h. deutfche Manier wirthfchaften und dadurch
meift zu Wohlftand gelangt find.

Güter wieder in die Hände der früheren (polnischen) Besitzer oder der Verwandten derselben zu bringen.

Eine dritte Gruppe bemühte sich, die bisherigen Inhaber auf's Aeußerste zu treiben und bei dem letzten für die Zwangsverkäufe angesetzten Termin, die Güter für Schleuderpreise an sich zu bringen. Endlich war noch eine große Zahl von Leuten da, die zum Erwerb der in Rede stehenden Güter überhaupt nicht berechtigt waren, auch der bezüglichen Zeugnisse entbehrten, indessen auf die Bestechlichkeit und Zugänglichkeit der mit dem Verkaufsgeschäfte betrauten Behörden rechneten und mit Hülfe derselben Gutsbesitzer zu werden hofften." —

Im weiteren Verlauf seiner Erzählung constatirt Herr Kasnatschejew, daß die „Niederlassung russischer Gutsbesitzer in den nordwestlichen Provinzen" ebenso auf dem Papier geblieben ist, wie die Mehrzahl der übrigen Murajew'schen Russificirungsmaßregeln. Russen, die politisch brauchbar gewesen wären, meldeten sich in nur geringer Anzahl und die Meisten von ihnen hatten unter der herrschenden Unordnung und Gesetzlosigkeit so empfindlich zu leiden, daß sie ihre litauischen Güter bei erster Gelegenheit wieder losschlugen und in die zu übler Stunde verlassene Heimath zurückkehrten. Weder ließen die von Alters her im Lande angesessenen Polen sich ohne Weiteres vertreiben, noch gelang es den Zuzug der verhaßten und gefürchteten „Prätendenten aus den Ostseeprovinzen" abzuhalten. Nachdem eine kaiserliche Entscheidung die baltischen Güterkäufer den russischen gleich gestellt hatte, ließen zahlreiche Kur- und Livländer sich in Litauen nieder, wo sie zu Folge ihrer wirthschaftlichen, sittlichen und intellectuellen Ueberlegenheit allen ihnen gemachten Schwierigkeiten zum Trotz vielfach zu einem Wohlstande gelangt sind, um welchen sie von Polen und Russen bis zur Stunde beneidet werden. In einem großen Theil des Gouvernements Kowno ist auf solche Weise aus der beabsichtigten „Wiederherstellung des russischen Charakters dieser Landschaft" eine Germanisirung, mir bestens die Begründung eines Außenwerks der deutschen Herrschaft über das benachbarte Kurland geworden! Und dieser Theil des ehemaligen Großfürstenthums Litauen ist der einzige, der es überhaupt zu leiblich geordneten Zuständen gebracht hat. Die in den Jahren 1863 und 1864 angeordnete Regulirung und Abgrenzung der den Bauern anzuweisenden Territorien ist bis heute noch nicht beendet, der Streit über zahlreiche, von beiden Parteien beanspruchte Grundstücke noch heute in der Schwebe, — für die Aufsichtsbehörden noch gegenwärtig eine aus der Murawjew'schen Zeit herrührende Vorschrift maßgebend, nach welcher die Bauern in „ihrem Besitz", d. h. auch in denjenigen Grundstücken, die sie gewaltsam occupirt haben, „geschützt"

und alle von den Gutsbesitzern erhobenen bezüglichen Beschwerden bis zur allendlichen
Regulirung in suspenso gelassen werden
sollen. Ebenso sind die Murawjew'schen Anordnungen
in Geltung geblieben, nach denen Personen polnischer
Herkunft und römisch-katholischen Bekenntnisses von dem
Rechte, ländliches Grundeigenthum in Litauen und
Weißrußland zu erwerben (NB. vierhundert Jahre lang
waren diese Länder durch Personalunion mit Polen verbunden und ausschließlich von Polen und katholischen
Geistlichen beherrscht gewesen), ausgeschlossen und, sofern
sie bereits Grundeigenthum besitzen, einer besonderen
Steuer unterworfen sind; der landsässige Adel ist von
dem Rechte zur Erwählung seiner Repräsentanten, das
Land von der Wohlthat einer regelmäßigen Rechtsprechung
(wie sie im übrigen Rußland längst Platz gegriffen hat)
ausgeschlossen. Das im Juni 1863 erlassene Edict, nach
welchem jeder — auch der private — Gebrauch der polnischen Sprache unter Strafe gestellt war, ist allerdings
außer Uebung gekommen. Dafür ist eine andere Vorschrift in Kraft geblieben, nach welcher alle mit lateinischen Lettern gedruckten litauischen Bücher verboten
sind; da das Volk die ihm octroyirten russischen Lettern
nicht versteht, steht seit zwanzig Jahren aller Schul-
unterricht stille, wird das geistige Bedürfniß des
noch lesekundig gebliebenen Theils der Landbevölkerung

ausschließlich durch alte, heimlich aufbewahrte Kalender und Andachtsbücher und durch aus Preußen eingeschmuggelte litauische Schriften bestritten, und sieht die Regierung mit an, daß der von Jahr zu Jahr reicher werdende Bauern- stand in seiner Bildung beständig zurückgeht. Die Jahre lang verboten gewesene Reparatur katholischer Kirchen wird neuerdings wieder geduldet, — die Thätigkeit des katholischen Clerus aber so streng überwacht, daß der- selbe an Händen und Füßen gebunden und an jeder Abwehr der unter seinen Glaubensgenossen betriebenen griechisch-orthodoxen Propaganda verhindert ist. — Die gewaltsamen Conversionen der Unirten zur russischen Staatskirche dauern namentlich im Gouvernement Minsk unverändert fort. — Von der moralischen Verwilderung, zu welcher dieser auf Umkehrung der gesammten geschicht- lichen und natürlichen Ordnung der Dinge gegründete „Ausnahmezustand" geführt hat, wird der Leser sich un- schwer eine Vorstellung machen. Thatsache ist, daß der Nihilismus in den nordwestlichen Provinzen eine große Zahl seiner gefährlichsten Brutstätten besitzt und daß einige der bekanntesten Complotanten unter der Herrschaft des Murawjew'schen Systems emporgekommene jüngere Juden sind.

So viel zum Verständniß des speciellen Inhalts der vorliegenden Schrift. Daß Murawjews Angaben über die von ihm ergriffenen Maßregeln ebenso unvollständig,

wie die gegen seine Gegner erhobenen Anklagen par-
teiisch und ungerecht sind, ist von verschiedenen, dem
einstigen Wilnaer Dictator sonst günstigen Organen
der russischen Presse anerkannt und mit gebührendem
Nachdruck hervorgehoben worden; in's Besondere hat
man an der Hand amtlicher Ziffern nachzuweisen
vermocht, daß die Zahl der von ihm verhängten
Todes- und Verbannungsurtheile sehr viel größer gewesen ist, als er hinterher wahr haben wollte*). Zwei
andere Punkte, auf welche besonderes Gewicht zu legen
ist, sind dagegen unberücksichtigt geblieben.

Die auf die Umgestaltung der agrarischen Verhältnisse Litauens und Weißrußlands abzielenden Maßregeln der Jahre 1863 und 1864 stehen zu den Grundsätzen, welche ihr Urheber während seines gesammten
Lebens und namentlich während der Jahre seiner Verwaltung des Domänenministeriums verfolgte in ausge-
sprochenem Gegensatz. Murawjew selbst und seine Anhänger (unter denen Herr Katkow von der Mosk. Zeitung bekanntlich der einflußreichste und der eifrigste war)
haben sich darin gefallen, die litauische Agrarreform
wie ein Abbild der preußischen zu behandeln und den
umstürzenden (um nicht zu sagen revolutionären)
Charakter derselben möglichst zu verhüllen. In Wahrheit ist der Mann, von dem diese Maßregeln ausgingen,

---

*) Vgl. unten im Nachtrag.

niemals ein Bauernfreund, sondern ein entschiedener Gegner der Emancipation und namentlich der Ablösung des bäuerlichen Grund und Bodens gewesen. Daß er, der dem Gesetz vom 19. Februar 1861 energisch widersprochen und über Beeinträchtigung der Interessen des russischen Adels geklagt hatte, in Litauen Ablösungs-Ordnungen vorschrieb, mit denen verglichen die russischen schonend und adelsfreundlich erscheinen, schließt alle Zweifel daran aus, daß dem General-Gouverneur von Wilna nicht an der Besserung der Lage der Bauern, sondern lediglich an dem Ruin der Herren gelegen war, und daß er die gesammte Agrarangelegenheit als Kampfes-mittel gegen das polnische Element auffaßte. Dieser Auffassung entsprach die Ausführung, die in gewaltsamster Weise und durch Vermittelung von Beamten bewerkstelligt worden ist, denen wegen ihres Polenhasses die schlimmsten Ausschreitungen nachgesehen wurden. Die Zerstörung der überkommenen Einrichtungen wurde als russische National- und Parteisache behandelt, sie wurde mit einem Fanatismus und einer Willkür betrieben, welche den Widerspruch aller billig denkenden und über den Augenblick hinaussehenden russischen Staatsmänner und Patrioten hervorrief. Murawjew hatte an die schlimmsten und gefährlichsten Instincte seiner Landsleute appellirt, als er die gewaltsame Ausrottung polnischen und katholischen Wesens proclamirte, — er hatte durch sein

Vorgehen eine Bewegung in's Rollen gebracht, die bis heute nicht zum Stillstande gebracht worden und für das gesammte Reich von den weittragendsten moralischen Folgen begleitet gewesen ist. Nicht sowohl die Rücksicht auf das von der Murawjew'schen Zerstörung betroffene Gebiet, als die Besorgniß vor einer der gesammten europäischen Civilisation in Rußland bereiteten schweren Gefahr ist es gewesen, welche den Fürsten Suworow, die Orlow, Dolgorukow u. s. w. zu entschiedener Parteinahme gegen das in Wilna inaugurirte System bestimmte und die die Entschließungen Kaiser Alexander's II. immer wieder ins Schwanken brachte.

Bis zum Jahre 1863 hatte die russische Reformbewegung einen ausgesprochen europäischen, humanen und civilisationsfreundlichen Charakter getragen. Die Absicht des Kaisers und der hervorragenderen seiner Rathgeber war darauf gerichtet gewesen, Rußland der westlichen Culturwelt näher zu rücken, allen unter russischem Scepter lebenden Nationalitäten und religiösen Bekenntnissen gerecht zu werden. In diesem Sinne war die fünfzig Jahre lang sistirt gewesene Verfassung des Großfürstenthums Finnland wiederhergestellt, zu einer nationalen Reorganisation Polens der Anfang gemacht, den Beschwerden der Liv-, Est- und Kurländer Rechnung getragen — allenthalben darauf hingewirkt worden, daß an die gegebenen Verhältnisse angeknüpft und für die Weiterentwickelung der vorhandenen Bildungskeime Raum gelassen wurde. Zur Förderung dieses Zieles hatten die Vertreter der verschiedensten Interessen und Parteien einander die Hände gereicht und die westlichen Theile des Reichs fast ausnahmslos Oberverwalter erhalten, welche zugleich Vertrauensmänner des Monarchen und der ihnen unterstellten Landschaften waren. Mit der unter der Regierung des Kaisers Nikolaus versuchten Niedertretung aller nationalen, kirchlichen und geschichtlichen Verschiedenheiten hatte man so ungünstige Erfahrungen gemacht, daß die Abneigung gegen das frühere geistlose Uniformitätswesen nahezu allenthalben die nämliche war und daß die verschiedensten politischen Richtungen in dem Verlangen nach einer naturgemäßen, die Erhaltung vorhandener Individualitäten ermöglichenden Staats-Entwickelung zusammentrafen. Von dieser Grundanschauung war auch der Marquis Wielopolski ausgegangen, als er die Sache der Reorganisation Polens in die Hand nahm und auf seiner Seite standen die besten und gebildetesten Russen der damaligen Zeit. Den Marquis für einen Verräther zu halten, der in der Stille die gegen seine eigene Verwaltung gerichtete Revolution begünstigte, ist das Privilegium einer kleinen Zahl verbissener Polenfeinde gewesen, die die zuerst von Murawjew und Katkow ausgegebenen verleumderischen Schlagworte nachsprachen und schließlich

dabei anlangten, außer den hervorragendsten Würden-
trägern des Reichs auch den damaligen Statthalter des
Königreichs, den (von Murawjew mit besonderem In-
grimm gehaßten) Großfürst Constantin für einen Con-
spirator zu erklären.

Nach Ausbruch des polnisch-litauischen Aufstandes
zerfiel das gebildete Rußland in zwei Parteien: über
die Nothwendigkeit den Aufstand niederzuschlagen waren
beide einig, darüber aber ob an dem bisherigen Programm
festzuhalten, oder ob fortan eine Politik der Verge-
waltigung gegen alle nicht specifisch-russischen und
griechisch-orthodoxen Elemente zu befolgen sei, entbrannte
ein heftiger Streit. — Murawjew's Beispiel hat denselben entschieden, die Fahne ausschließlich russischer und
griechisch-orthodoxer Bildung und Entwickelung zuerst
wieder aufgesteckt, und zu einer Feindseligkeit gegen west-
europäisches Wesen das Zeichen gegeben, welche seitdem
in unaufhaltsamem Vordringen begriffen ist. Jenen
wilden Zerstörungstrieb, der bereits in dem Rußland
Iwan's des Schrecklichen zu Tage getreten war und dessen
jüngster Prophet der General Skobelew gewesen ist —
in der von Murawjew befolgten Russificirungspolitik
hat er seinen classischen und typischen Ausdruck gefunden.
Murawjew's eigene Gehülfen haben das gewußt und es bei
Gelegenheit deutlich ausgesprochen, indem sie sich rühmten,
Träger einer providentiellen russischen Aufgabe zu sein.

Gegen die Männer, welche solcher Auffassung der Mission Rußlands widersprachen, ist die vorliegende Schrift vornehmlich gerichtet. Nicht sowohl um sich zu rechtfertigen, als um seine Gegner „die Westlinge" anzuklagen, hat der Exdictator von Wilna seine „Denkwürdigkeiten" aufzeichnen lassen. Als Beiträge zur Geschichte der wichtigsten Krisis, welche das Rußland Kaiser Alexander's II. durchzumachen gehabt, werden diese Memoiren eine ebenso hervorragende Stelle einnehmen, wie als Denkmäler russisch-nationaler Entwickelung in der zweiten Hälfte des 19. Jahrhunderts.

E. N.

Nachtrag.

I. Unmittelbar nach der Veröffentlichung der Murawjew'schen Memoiren brachte die hochnationale, in St.-Petersburg erscheinende Zeitung Nowoje Wremjä eine Notiz folgenden Inhalts zum Abdruck:

„Murawjew habe seiner Zeit der Redaction des amtlichen Organs des Kriegsministeriums, des „Russischen Invaliden" auf deren Wunsch eine Mittheilung über die Zahl der Opfer zukommen lassen, doch sei die Veröffentlichung aus unbekannten Gründen unterblieben. Danach seien in der Zeit der Verwaltung Murawjews hingerichtet worden 128 Perſonen, zu Sträflingsarbeiten verurtheilt 972, zur Anſiedlung in Sibirien verurtheilt 1427, unter die Soldaten genommen 345, in die Arreſtanten-Kompagnien verſchickt 864, in die inneren Gouvernements verſchickt 1529, angeſiedelt im Innern des Reiches 4096, Summe 9361.

II. Unter den zahlreichen, im Laufe der letzten Monate veröffentlichten Entgegnungen auf die Murawjew'ſchen Memoiren iſt eine der bemerkenswertheſten diejenige der Zeitſchrift „Weſtnik Jewropy" (Januar 1883) geweſen. Dieſelbe brachte u. A. einen von Murawjew's F r e u n d u n d N a ch f o l g e r, dem auf ſeine Empfehlung nach Wilna berufenen General Kauf- mann angeordneten amtlichen Circulair-Erlaß des Feld- auditoriats der nordweſtlichen Provinzen zum Ab- druck, der in 16 verſchiedenen Punkten die unter der früheren Verwaltung begangenen Willkürlichkeiten und Geſetzesverletzungen aufzählte. Wir entnehmen dieſem intereſſanten, vom 14. Oct. 1865 datirten Actenſtück einige beſonders intereſſante Sätze. — In der Einleitung heißt es u. A. wie folgt:

„Was die politiſchen Proceſſe anlangt, die vor das Forum des Kriegsgerichtes gehörten, ſo iſt bei deren Durchſicht im Feldauditoriate f o r t w ä h r e n d b e m e r k t worden, daß bei der Führung dieſer Sachen im Unter- ſuchungs- und Gerichtsverfahren, beſonders bei Ermittelung von Beweisen zur Ueberführung der Angeklagten, die Untersuchungs- und kriegsgerichtlichen Commissionen sehr oft von den gesetzlichen Regeln, die das Verfahren bei der Untersuchung und beim Gericht normiren, abweichen und verschiedene Lückenhaftigkeiten zulassen, welche oft so wichtig waren, daß sie die Fällung eines Urtheils über den Grad der Schuld des Angeklagten nicht zuließen und neue vervollständigende Untersuchungen erforderlich machten. Da aber bei der Ausnahmelage des Landes und der ungeheuren Anzahl von Arrestanten der General der Infanterie, Graf Murawjew, nur in äußerst seltenen Fällen es für nöthig erachtet hat, die Rücksendung der Acten zur Vervollständigung der Untersuchung zu genehmigen, so war das Auditoriat oft in die Nothwendigkeit versetzt, ein Urtheil nach den vorhandenen Beweisen zu fällen."

Unter den 16 besonders hervorgehobenen Punkten erscheinen die folgenden besonders charakteristisch:

1) Viele Acten enthielten gar keine Auskünfte über die ersten Ursachen zur Arretirung der Angeklagten: sie beginnen mit dem Verhör der Arretirten darüber, weshalb sie arretirt seien, und enthalten gar keine Hinweise, aus welchem Grunde die in den Acten genannten Zeugen verhört wurden und ob nicht die Aussagen dieser Zeugen die Denunciation bildeten, welche zur Entstehung des Processes Anlaß gab; dadurch wurde die Beurtheilung

der Glaubwürdigkeit und legalen Zulässigkeit der Zeugen sehr erschwert.

2) Das Verhör der Angeklagten wurde, gegen die Bestimmungen der Art. 161 und 168, Th. II des Militairstrafgesetzbuches, oberflächlich und nachlässig geleitet, so daß ihre Angaben sich zuweilen nur auf einige Theile der Anklage bezogen, zuweilen überhaupt dem Wesen der Sache gar nicht entsprachen. Ebenso oberflächlich wurden die Zeugen verhört, die man überdies nicht einmal fragte, ob sie Augenzeugen des Verbrechens gewesen oder durch wen und wie sie die Umstände desselben erfahren hätten. Dieser Nachlässigkeit ist es auch zuzuschreiben, daß die Zeugen sich einmal bei ihren Familiennamen, in einem Nachverhöre beim Vor- und Vatersnamen nennen, so daß die Frage entsteht, ob dies nicht neue Personen sind und ob die in den Nachverhören gemachten Angaben nicht neue Beweise gegen die Angeklagten abgeben.

.   .   .   .

7) Häufig, wenn Personen, deren Angaben die Anklage hervorgerufen, in der Folge bei Führung der formellen Untersuchung, sich von ihren anfänglichen Aussagen lossagten, weil sie derartige Aussagen gar nicht oder nur auf Wunsch und Forderung der Verhörenden gemacht hätten, oder wenn dieselben ihre früheren

Angaben wesentlich abänderten und ihnen einen gänzlich anderen Sinn gaben, -- in diesen häufigen Fällen wurden gewöhnlich gar keine Prüfungen der späteren Aussagen vorgenommen, wodurch die Bedeutung der anfänglichen Aussagen geschädigt wurde, deren Glaubwürdigkeit durch die Befragung von Personen hätte aufrecht erhalten werden können, welche die ersten Verhöre leiteten oder bei denselben zugegen gewesen waren.

8) Zum Schaden der Gerechtigkeit blieben solche Erklärungen ohne jegliche Untersuchung, die von Angeklagten, welche die Lügenhaftigkeit der gegen sie erhobenen Anschuldigungen behaupteten, zu ihrer Rechtfertigung abgegeben waren und die, was ihre Glaubwürdigkeit und Bedeutung für die Entscheidung anbetrifft, von äußerster Wichtigkeit waren. — Hier begegnet man oft der Erscheinung, daß den Angeklagten die erbetene Confrontation mit den Klägern verweigert wird, während in einigen Fällen die Confrontation als einziges Mittel zur Aufklärung über die Anschuldigung erscheint.

9) Ueberhaupt wurden Confrontationen äußerst selten angewandt, obgleich die Aussagen der Angeklagten denen der Zeugen und die der letzteren unter einander sich oft widersprachen, während doch der Art. 254 des Militairstrafgesetzbuches die Unklarheiten und Widersprüche, welche sich bei Führung der Klagesachen geltend machen, durch Confrontationen zu beseitigen anbefiehlt.

Dann heißt es zum Schluß:

„Nach Darlegung aller dieser Ungehörigkeiten und
Mängel des Verfahrens in politischen Processen, hat das
Feldauditoriat in Erwägung gezogen, daß, wenn diese
Lücken und Mängel bisher auch in bedeutendem Maße
durch den Charakter der Untersuchung in politischen Processen, durch die Ausnahmelage des Landes und die Menge
der Arrestanten bedingt waren, gegenwärtig doch die Zahl
der politischen Anklagen sich sehr merkbar verringert hat,
und dies die volle Möglichkeit giebt, die Processe mit
größerer Aufmerksamkeit, Vollständigkeit und Gesetzmäßigkeit zu leiten. Das Feldauditoriat hat deshalb bei dem
obersten Chef des Gebietes darum nachgesucht, daß den
Gouvernementschefs und durch diese den kriegsgerichtlichen
und Gouvernements-Untersuchungscommissionen für politische Processe, sowie den Kreismilitärchefs anempfohlen
werde, nunmehr bei Führung der politischen Sachen alle
die oben auseinandergesetzten Ungehörigkeiten und Mängel
zu beseitigen, ferner, daß die politischen Sachen, namentlich die Untersuchungen, in jeder Beziehung gemäß den
oben dargelegten, im Gesetze begründeten Hinweisen geführt, daß die Untersuchung, wie darauf schon früher bei
Schließung der Kreisuntersuchungscommissionen hinge-
wiesen wurde, unter allen Umständen nur Untersuchungs-
richtern oder solchen Personen übertragen werde, welche
in Criminaluntersuchungen Erfahrungen besitzen. Hierbei

IV *

find von denselben alle diejenigen Regeln zu beobachten,
welche in der Instruction der Untersuchungsrichter enthalten, und auch für das Kriegsgericht zur Richtschnur
bestimmt sind. Die vorbereitende Thätigkeit der Polizei-
autoritäten hat sich auf die Ermittelung vorläufiger Umstände, welche die Basis der Anklage oder deren Ursache
sind, sowie auf die Beschaffung der vermutheten Beweise
zu beschränken. Es ist ferner darauf zu sehen, daß die
kriegsgerichtlichen Commissionen sich der Verpflichtung
aufmerksamer Durchsicht der ihnen zur Urtheilsfällung
übergebenen Acten nicht entziehen und, falls sie Mängel
entdecken, welche eine regelrechte Urtheilsfällung hindern,
entweder selbst, wo dies möglich, die Untersuchung vervoll-
ständigen oder die Acten der Gouvernementsobrigkeit zu-
stellen, damit diese für die Vervollständigung Sorge trage.

Erstes Capitel.

I.

„ . . . . Ich verließ zu Ende 1861 das Ministerium der Reichsdomänen und begab mich im März 1862 in's Ausland zur Heilung.

Nach meiner im Herbst 1862 erfolgten Rückkehr aus dem Auslande suchte ich, da die Nothwendigkeit für mich vorlag, auch im nächsten Jahre meiner Gesundheit wegen in's Ausland zu reisen, um meine Entlassung von der Verwaltung des Appanagendepartements und des Meßcorps nach und verblieb nur als Mitglied des Reichsraths und des Finanzcomités.

Im Jahre 1863 nahm die Bewegung im westlichen Gebiet, die bereits 1861 begonnen hatte, den Charakter eines bewaffneten Aufstandes an. Unsere Regierung, welche bis dahin allen polnischen Intriguen und revolutionären Manifestationen, mit denen auch in Rußland die gesammte demokratische Partei sympathisirte, durch die Finger gesehen hatte, wurde durch die hierdurch für Rußland unvermeidlich eintretenden unglückseligen Folgen in Schrecken versetzt.

Marquis Wielopolski, welcher noch im Juni 1862 an die Spitze der Civilverwaltung des Königreichs Polen gestellt worden war, begann schon seinen Einfluß auf die Meinung des Kaisers und überhaupt der Petersburger Gesellschaft zu verlieren, die durch die rasche Entwickelung des bewaffneten Aufruhres sowohl im Königreich Polen als auch insbesondere in den nordwestlichen Gouvernements erschreckt war.

Die polnische revolutionäre Partei wurde von den Westmächten Europa's protegirt, welche, angesichts unserer Schwäche und der bedeutenden Sympathie der höheren Gesellschaft und der demokratischen russischen Partei für die polnische Sache, es für möglich erachteten, beharrlich die Wiederherstellung Polens zu fordern.

Trotzdem war die Regierung noch lange unentschlossen, entscheidende Maßnahmen behufs Bewältigung des Aufruhres zu treffen. Im Königreiche nahm der Aufstand von Tag zu Tage zu. In den litauischen Gouvernements begriff der Generalgouverneur Nasimow, ein beschränkter und schwacher Mann, der sich aber des vollen Vertrauens und sogar der persönlichen Zuneigung des Kaisers erfreute, bei aller seiner Gewissenhaftigkeit die Lage des Landes nicht und fand keinerlei verständige

Mittel zur Niederwerfung der Rebellion. Uebrigens ist zu seiner Rechtfertigung zu sagen, daß die aus St.-Petersburg, namentlich vom Minister des Innern, aber auch vom Chef der Gensdarmen, Fürsten Dolgorukow und dem Minister des Auswärtigen, ertheilte Directive ihm nicht die Möglichkeit gewährte, fest und entschlossen zu handeln, weil die beiden Erstgenannten nur darum sorgten, wie die Polen zu versöhnen und durch verschiedene Zugeständnisse, welche in ihnen noch größeres Selbstvertrauen auf Erfolg erzeugten, zur Herablassung für Rußland willig zu machen seien, der letztgenannte, Fürst Gortschakow, aber, welcher im Uebrigen das System Walujew's, des Fürsten Dolgorukow und Wielopolski's billigte, durch die Drohung der Westmächte, welche die Erklärung der Unabhängigkeit Polens in den Grenzen von 1772 forderten, in Schrecken versetzt war. . . . Aus Warschau traf Zamoiski ein, welcher für Polen Autonomie und Herstellung der Grenzen von 1772 verlangte. Man empfing ihn, hörte ihn überaus gnädig an, obwohl man auf seine Anträge nicht einging; aber er ward nicht zur Verantwortung gezogen und wurde nur verpflichtet, sich in's Ausland zu begeben und nicht in das Königreich zurückzukehren. Bei seiner Ankunft in Paris machte Zamoiski die Schwäche der Regierung öffentlich kund.

Zu Anfang März 1863 wurde auf Antrag des Fürsten Gortschakow vom Kaiser ein Manifest erlassen, welches allen

1 *

Polen Amnestie zusagte, welche zum 1. Mai die Waffen niederlegen würden. Diese Maßregel diente nur dazu, sie noch mehr zum Aufstande aufzumuntern. Sie erkannten daraus die Furcht, welche die Regierung ergriffen hatte, und die Westmächte begannen noch mehr auf Erfüllung ihrer Forderungen zu bestehen. Die Dinge im Königreich und im westlichen Gebiet geriethen noch mehr in Verwirrung und complicirten sich: Gewaltthaten, Raubanfälle rc. vergrößerten die Furcht. Man bangte bereits nicht mehr um Litauen, sondern um St.-Petersburg und um sich selbst; man befürchtete eine allgemeine Entwickelung der demokratischen Principien: in St.-Petersburg herrschte in der zweiten Hälfte des April 1863 unter den hervorragendsten Staatsmännern allgemeine Panik. Die Ereignisse bei Dünaburg, d. h. die Beraubung eines Waffentransports durch den Grafen Plater, erregte St.-Petersburg so sehr, daß ein ganzes Regiment zur Unterdrückung dieser nichtigen Bande abgefertigt wurde, mit der die localen Autoritäten nicht zurecht kommen konnten, weil die höhere Regierung an Ort und Stelle keinerlei Maßnahmen traf; das Ministerium des Innern und die Gensdarmerie thaten absolut gar nichts.

Es ist zu bemerken, daß der Dünaburgsche Aufstand von den Polen, welche auf die St.-Petersburger Autoritäten großen Einfluß besaßen, ganz anders interpretirt wurde,

als er thatsächlich war. Die Gensdarmerie war überzeugt, daß das ein Aufstand der Raskolniken gegen die
Gutsbesitzer sei, daß das ein Blutbad in Aussicht stelle,
wie in Galizien im Jahre 1848, daß die Plater, Moll
und übrigen Gutsbesitzer vollkommen ruhig lebten und
daß nicht die geringste Verschwörung gegen die Regierung
bestehe. Der Wilnasche Bezirks-Gensdarmerie-General
v. Hildebrandt, welcher im Herzen ein Pole war
und viele Verwandte im Dünaburgschen und Reschitza-
schen Kreise besaß, suchte mit allen Mitteln glauben zu
machen, daß im Lande kein Aufruhr und es nothwendig
sei, die Altgläubigen zu beruhigen, welche die Höfe der
Gutsbesitzer plünderten. Fürst Dolgorukow versicherte
dies dem Kaiser und erwirkte am 16. April den Befehl,
daß dorthin Truppen und ein General gesandt würden
zur Beruhigung der Altgläubigen, welche unter der Verwaltung des Domänenministeriums standen, weshalb
Minister Selényh hiervon benachrichtigt wurde.

Generaladjutant Selényh erkannte die verkehrte Auffassung der Gensdarmerie hinsichtlich des sog. Dünaburger
Aufstandes, und mit der Sendung eines Gensdarmen-Generals in jene Gegend, deren Bauern der Domänenverwal-
tung speciell unterstellt waren, keineswegs einverstanden,
begab er sich am Abend des 16. April zum Kaiser, hielt
ihm über den augenblicklichen Stand der Sache Vortrag
und suchte um die Genehmigung nach, daß nicht dem Chef

der Gensdarmen, sondern ihm, dem Domänenminister,
die Befugniß ertheilt werde, jene Unruhen im Dünaburgschen zu unterdrücken. Der bereits ausgefertigte Befehl zur Entsendung eines Gensdarmen-Generals wurde
in Folge dessen aufgehoben und, dem Antrage Selënÿ's
entsprechend, der im Domänenministerium angestellte
Generallieutenant Dlotowski mit den Rechten eines
Militärchefs nach Dünaburg abcommandirt.

Dem General Dlotowski gelang es, nach seiner Ankunft in Dünaburg, hinter die Wahrheit zu kommen,
eine Verschwörung der dortigen Gutsbesitzer zu constatiren,
sowie die Entdeckung zu machen, daß ein offener Aufstand sich in allen benachbarten Kreisen der Gouvernements Witebsk und Wilna vorbereite. Er traf Maßnahmen zur Sicherung der Festung Dünaburg, deren
Verwaltung fast ausschließlich polnischen Beamten anvertraut war und wo sich, außer einem Reservebataillon
und den zur Ergänzung des Bestandes eintreffenden Rekruten, fast gar keine Truppen befanden. Daß Dünaburg nicht in den Händen der Rebellen war, ist ihrem
eigenen Unverstande zuzuschreiben, weil Graf Plater und
seine Genossen, ohne den zur Einnahme der Festung,
welche leicht zu bewerkstelligen war, bestimmten Tag
abzuwarten, eine Woche früher den Angriff auf den
Waffentransport ausgeführt und somit ihr Vorhaben
und den bewaffneten Aufstand offenbart hatten. Die Alt-

gläubigen, welche von Haß gegen die Polen erfüllt waren, hatten schon lange deren Vorbereitungen zum Aufstande gesehen und beim ersten Versuche Plater's sich insgesammt bewaffnet, den Transport wieder genommen, die Bande zerstreut und Plater selbst handfest gemacht. Hiermit sich nicht begnügend, begaben sich die Altgläubigen in die Kreise Dünaburg und Reschitza, um den Aufruhr niederzuwerfen, und dadurch wurde den sich sammelnden Insurgentenbanden die Möglichkeit genommen, sich zu formiren. Die Polen, namentlich die Gutsbesitzer, erschraken, weil sie sahen, daß alle ihre Pläne allein durch die Altgläubigen, ohne jegliche Mitwirkung von Truppen, zu nichte gemacht wurden. Und wegen dieser Erfüllung ihrer Unterthanenpflichten sollten die Raskolniken von unserer Regierung verfolgt werden! General Selëny war der Erste, welcher auf die Nothwendigkeit zur Ergreifung entscheidender Maßnahmen gegen die Aufrührer hinwies und das Bild der wahren Lage enthüllte.

In Anlaß des entbrannten Aufruhrs hielt ich es nicht für möglich, Rußland zu verlassen, und gab daher meine Absicht, in's Ausland zu reisen, auf.

Am 17. April 1863, am Geburtstage des Kaisers, war ich in der Kirche, wo nur von den Dünaburger Vorgängen gesprochen wurde. Der Kaiser trat auf mich zu und fragte mich: „Haben Sie gehört, was sich in Dünaburg ereignet hat?" Ich antwortete, daß ich wohl davon gehört hätte und Anderes auch überall in den westlichen Gouvernements, namentlich im Kownoschen, nicht zu erwarten wäre. Es ist zu bemerken, daß bis zum April sowohl der Gouverneur von Kowno als auch der Generalgouverneur von Wilna versichert hatten, daß in Samogitien Alles ruhig sei und keinerlei Vorbereitungen zu einem Aufruhr getroffen würden, während doch in Wirklichkeit dazu die Anfänge gemacht wurden. — Der Kaiser entgegnete mir, daß er ein Regiment dorthin abgesendet habe und hoffe, damit der Sache ein Ende zu machen. Ich aber bemühte mich, ihn vom Gegentheil zu überzeugen: ich wäre seit mehr als 30 Jahren mit diesem Lande bekannt, und dieselben Familien, die in die Dünaburgsche Affaire verwickelt seien, hätten auch an der Revolution von 1831 theilgenommen. Damit endete das Gespräch.

Inzwischen nahm die Empörung der europäischen Mächte gegen uns zu: namentlich in Frankreich erregten die polnischen Revolutionäre mit außergewöhnlichem Erfolge die öffentliche Meinung gegen uns. Unsere Regierung bereitete sich zur Abwehr vor.

Unsere Truppen waren in der größten Desorganisation und wurden eben erst aus Cadres formirt. Die Bataillone, welche im westlichen Gebiete einquartiert waren, wurden durch Rekruten ergänzt, welche schwerlich noch im April eintreffen konnten und weder bewaffnet

noch informirt waren. In Litauen standen nur: die
1. Infanterie- und die 1. Cavallerie-Division, mit denen
man einen Krieg beginnen konnte; die übrigen konnten
aber schwerlich auch nur mit Insurgentenbanden kämpfen.
Die Regierung war genöthigt, die 2. Garde-Infanterie-
Division nach Litauen zu entsenden, weil dort keine
Truppen sich befanden.

Im Hinblick auf eine möglicherweise eintretende
kriegerische Action wurde im April 1863 mein Bruder,
Nikolai (Generaladjutant Graf Nikolai M.-Amurski), nach
St.-Petersburg zu Verhandlungen über die Vertheidigung
der gesammten Küste von Sweaborg bis zur preußischen
Grenze berufen.

II.

Am 25. April 1863 befand sich mein Bruder beim
Kaiser, und, wie ich später erfuhr, war dieser sehr ver-
stimmt durch die aus Litauen eingegangenen Nachrichten.
Ich sah der Rückkehr meines Bruders aus dem Palais
mit Ungeduld entgegen, weil ich von ihm Nachrichten
über die Lage im Westen zu erhalten hoffte, — als plötz-
lich ein kaiserlicher Feldjäger sich meldete, der mir den
Befehl des Kaisers zu sofortigem Erscheinen im Palais
überbrachte. Ich begab mich alsbald dorthin und fand
im Vorsaale den Minister des Auswärtigen, Fürsten
Gortschakow, in sehr erregtem Zustande. Ich fragte ihn,
ob er nicht wisse, warum mich der Kaiser zu sich fordere
und wer jetzt bei ihm sei. Er antwortete, daß mein
Bruder zur Zeit bei Sr. Majestät sich befinde, und daß
der Kaiser mit mir über die Lage in den westlichen
Gouvernements sprechen wolle. Kaum waren fünf
Minuten verflossen, so trat mein Bruder aus dem Cabinet heraus und sagte mir, daß der Kaiser nach mir
verlange.

Beim Eintritt in das Cabinet fand ich den Kaiser sehr aufgeregt. Er erzählte mir von der Lage in Litauen und Polen, von allen seinen Befürchtungen, ob es noch möglich sei, Litauen zu halten, namentlich im Falle eines europäischen Krieges, der nach den Drohungen Frankreichs und Englands zu erwarten sei. Hierbei äußerte der Kaiser, daß er mich bitte, die Verwaltung des nordwestlichen Gebietes und das Commando aller in demselben stehenden Truppen zu übernehmen, wobei zu den vier Gouvernements des Wilnaschen Generalguberniats noch zwei weißrussische hinzukommen sollten. Er hoffe, daß ich den Aufruhr unterdrücken und dort Alles in die gehörige Ordnung bringen würde; er werde mir jegliche Vollmacht zum Handeln nach eigenem Ermessen ertheilen, und es werde von mir abhängen, ob ich nach Niederwerfung des Aufstandes in Wilna als Generalgouverneur bleiben oder von dort zurückkehren wolle.

Der Antrag des Kaisers kam mir vollkommen unerwartet. Mir war es auch nicht in den Sinn gekommen, daß ich nach Litauen geschickt werden würde, um so mehr als ich beim Rücktritt vom Ministeramte gesehen hatte, daß der Kaiser mir nicht geneigt war. Ich antwortete, daß ich, als Russe, es für unehrenhaft halten würde, die Uebernahme der mir jetzt von Sr. Majestät übertragenen Pflicht abzulehnen: jeder Russe müsse sich selbst für das Vaterland opfern, und daß ich daher unweiger-

lich die schwere Aufgabe eines Generalgouverneurs in
jenem Lande annähme; von Sr. Majestät werde es abhängen, zu bestimmen, wie lange ich dort verbleiben
solle, daß ich aber volles Vertrauen von Sr. Majestät
erbäte, weil entgegengesetzten Falls keinerlei Erfolg zu
erwarten sei. Ich sei mit Vergnügen bereit, mich zum
Nutzen und Wohle Rußlands zu opfern; aber zugleich
wünschte ich, daß mir alle Mittel zur Erreichung des
Zweckes zur Verfügung gestellt würden und man, was
die Hauptsache sei, über das im Lande einzuschlagende
System übereinkomme. Hierbei setzte ich Sr. Majestät
auseinander, daß ich die Maßnahmen der Verwaltung
des Königreichs Polen den gegenwärtigen Verhältnissen
durchaus nicht entsprechend fände, daß es nothwendig sei,
wie in den westlichen Gouvernements, so auch im Königreich ein System zu befolgen: strenge Verfolgung der
Empörung und des Aufruhrs, Aufrechterhaltung der
Würde der russischen Nationalität und des russischen
Geistes in den Truppen, welche jetzt darüber unzufrieden
sind, daß sie beständig von den Polen beleidigt werden
und nicht einmal das Recht haben, gegen ihre Frechheiten
einzuschreiten; — daß es nothwendig sei, den auswärtigen
Mächten, welche mit allen Mitteln sich bemühen werden,
mein projectirtes System strenger Verfolgung des Aufruhrs und des polnischen revolutionären Geistes anzu-
schwärzen, entschiedenen Widerstand zu leisten; — daß

es nothwendig sei, daß auch die Minister Sr. Majestät von demselben System und denselben Anschauungen durchdrungen seien, weil andernfalls die Thätigkeit an Ort und Stelle keinen Erfolg werde aufweisen können. Alles das veranlasse mich, Se. Majestät zu bitten, noch einmal in Erwägung zu ziehen, ob nicht eine andere Person behufs Erfüllung des gegenwärtig mir ertheilten Auftrages sich finde, deren Programm sich die Zustimmung Europa's und der St.-Petersburger Regierungssphären in höherem Maße erwerben könne. Ich wüßte im voraus, daß mein System nicht gefallen werde; aber ich könnte von demselben nicht abstehen, weil ich das polnische Volk lange kenne und überzeugt sei, daß wir durch Nachgiebigkeit und Schwäche die Sache nur verschlechtern und einzig durch Maßregeln strenger Gerechtigkeit und Verfolgung des Aufruhrs die Ruhe im Gebiete herstellen könnten. Hierbei gab ich meiner Ueberzeugung Ausdruck, daß das Land von alten Zeiten her russisch sei, daß wir selbst es polonisirt und der Versuch vom Jahre 1831 uns nicht zum Nutzen gedient habe. Jetzt müsse der Aufruhr endgiltig unterdrückt und die russische Nationalität und die Orthodoxie im Lande wiederhergestellt werden.

Ich stützte mich hierbei auf die Erfahrungen und die Kenntniß des polnischen Charakters, die ich als Vicegouverneur von Witebsk, als Gouverneur von Mohilew und Grodno und als Ablatus des Obercommandirenden

der Truppen in Litauen, Grafen Tolstoi (1831), gewonnen, welcher mir alle Anordnungen im Civilressort
zur Zeit der Revolution übertragen hatte, wodurch
ich sowohl das Land als auch alle revolutionären Ideen
und Pläne kennen lernte.

Auf alles dieses antwortete nun der Kaiser, daß er
mir für meine Selbstverleugnung und die Bereitwilligkeit, diese schwere Bürde auf mich zu nehmen, danke,
daß er meinen Anschauungen und dem von mir vorgeschlagenen System vollkommen zustimme und davon
nicht zurücktreten werde.

Das Gespräch mit dem Kaiser kam mir so unerwartet, daß, als Se. Majestät mir sagte, man könne
demnach den Befehl über meine Ernennung zum Generalgouverneur veröffentlichen, ich darum bat, die Ausfertigung
des Befehls noch zu verzögern und dahin Anordnung zu
treffen, daß die Minister mit mir in Angelegenheiten
der westlichen Gouvernements conferirten, um ihnen
meinen Standpunkt in Betreff der Verwaltung des dortigen Gebietes auseinanderzusetzen, weil ich überzeugt sein
müsse, daß auch die Minister in Allem mit mir zu-
sammenwirken.

Der Kaiser war hiermit einverstanden und sagte:
„Ich beauftrage Sie, mit dem Fürsten Dolgorukow,
dem Kriegsminister Miljutin, dem Domänenminister
Selöny und dem Minister des Innern Walujew hierüber

in Verhandlung zu treten, bitte Sie aber, die Sache zu beschleunigen, weil kein Aufschub möglich ist. Nach Abschluß der Berathungen werden Sie mir schreiben, und
ich werde Sie dann sofort behufs der definitiven Entscheidungen zu mir berufen."

Am 27. April 1863 wurden die Berathungen geschlossen. Alle Minister waren in Worten mit mir einverstanden, obgleich augenscheinlich Fürst Dolgorukow
und Walujew Bedenken trugen: angesichts der Schwierigkeit der Lage, waren sie aber gezwungen, mir beizustim-
men, weil, wie ich schon früher sagte, der Schreck sie alle
beherrschte.

Am 28. April bereits war ich beim Kaiser, zeigte
ihm an, daß ich mit den Ministern gleicher Meinung sei,
und legte ihm einige Fragen über die Erweiterung meiner
Vollmachten vor. Auf alle meine Vorschläge ging der
Kaiser ein. Aber bald darauf sah ich, daß seitens Walujew's und Dolgorukow's sich Widerstand zu regen begann: die von mir erbetenen Vollmachten gefielen ihnen
nicht.

Am 30. April war ich wiederum beim Kaiser. Ich
fand einen gewissermaßen kühlen Empfang und war daher genöthigt, die Bemerkung zu wiederholen, ob es nicht
besser sei, Jemanden anderes in die westlichen Gouvernements zu entsenden. Der Kaiser wurde zornig und
äußerte: „Ich habe schon einmal meine Ueberzeugung

ausgesprochen und ich beabsichtige nicht, sie zu wiederholen."

Als ich ihm aber erwiderte, daß seine Minister
meine Ansichten nicht ganz theilten, äußerte er mit
einiger Schroffheit: „Das ist nicht wahr." Da stand
ich auf und sagte Sr. Majestät: „Suchen Sie sich einen
Anderen an meiner Stelle."

Der Kaiser ergriff hierauf meine Hand und ent-
schuldigte sich wegen des unrichtigen Ausdrucks, welcher
wider Willen über seine Lippen gekommen sei. Ich sagte
hierauf dem Kaiser, daß ich die Unwahrheit nicht spreche,
und wiederholte noch einmal: „Suchen Sie sich einen
Anderen, welcher Ew. Majestät die Wahrheit sagen wird."

Da umarmte mich der Kaiser, bat nochmals um
Entschuldigung, ich möge dies für immer vergessen, er
habe einen „so schlechten Charakter, daß er zuweilen
gegen seinen Willen ein ungehöriges Wort sage". Wir
versöhnten uns, und der Kaiser fragte bloß: „und so darf
ich den Befehl über Ihre Ernennung erlassen?"

Ich antwortete: „Wann und wie es Ew. Majestät
gefallen wird. Ich bin damit einverstanden und werde
alles thun, was ich zur Erfüllung dieses mir auferlegten
wichtigen Auftrages vermag. Ich diene Rußland und bin
bereit, mich für Rußland und für Ew. Majestät zu opfern,
Ich bitte nur, Frau und Töchter nicht zu verlassen."

Wir umarmten und trennten uns sehr freundlich.

Dabei wiederholte mir der Kaiser, daß er meine baldige
Abfahrt wünsche; die Dinge in Litauen ständen sehr
schlecht, und Nasimow bäte um baldigen Ersatz. — Ich
bat um wenigstens eine Woche Zeit, um mich vorzu-
bereiten und russische Männer um mich zu schaaren, da
ich allein dort nichts thun könne und weil ich namentlich in Weißrußland eine bessere Verwaltung organisiren
wolle, ehe ich nach Wilna komme; von letzterem Orte
aus würde es schwierig sein, Entscheidungen zu treffen,
da alle inneren Verbindungen durch die Insurgentenbanden zerstört seien.

Am 1. Mai wurde meine Ernennung publicirt.
Bis zum 12. blieb ich in St.-Petersburg, suchte Leute für
den Dienst aus, trat hinsichtlich verschiedener Maßnahmen,
welche ich für nothwendig hielt, zu den Ministern in
Beziehung, war einige Mal beim Kaiser in Zarskoje-
Sselo ꝛc.

Vor der Abreise stellte ich mich auch der Kaiserin
vor, welche wegen der Lage in Polen und dem westlichen
Gebiet in großer Aufregung war. Sie dankte mir für
meine Entschlossenheit und Opferwilligkeit, sprach sich
über die schwierige Situation aus und den Andrang
der Westmächte gegen uns und äußerte u. A.: „Wenn
wir nur Litauen für uns halten könnten" — vom Königreich Polen war auch nicht einmal mehr die Rede. So
dachten damals selbst die Glieder des Kaiserhauses!

Am 12. Mai um 10 Uhr Abends, nachdem ich in der Kasanschen Kathedrale gebetet hatte, brach ich nach Wilna auf. Schwer war der Abschied von Frau und Kindern. Mein Bruder, Selöny und viele Andere begleiteten mich.

III.

Ich setzte meine Hoffnung allein auf Gott, weil ich sah, daß ich von St.-Petersburg auch nicht die geringste Unterstützung finden würde. Im Lande selbst konnte ich auch keinerlei Annehmlichkeiten erwarten, weil in allen sechs Gouvernements der Aufruhr entflammt war; eine Regierungsgewalt bestand schon nirgends mehr; unsere Truppen concentrirten sich nur in den Städten, von wo, wie im Kaukasus, Expeditionen veranstaltet wurden; alle Dörfer, Ansiedlungen und Wälder waren in den Händen der Insurgenten. Russen gab es fast nirgends; denn alle Civilchargen wurden von Polen bekleidet. Ueberall Rebellion, Haß und Verachtung gegen uns und die russische Regierung; über die Maßnahmen des Generalgouverneurs wurde gelacht, und Niemand führte sie aus. Die Rebellen hatten überall, selbst in Wilna, ihre revolutionären Chefs, in den Kreisstädten Bezirks- und Gemeindeämter, in den Gouvernementsstädten vollständige Civilverwaltungen, Minister, revolutionäre Militärtribunale, Polizei und Gensdarmen — mit einem Worte: eine vollständige

2 *

Organisation, welche ungehindert überall wirkte, Banden
sammelte, in einigen Orten sogar ein reguläres Heer
formirte, ausrüstete, verpflegte, Abgaben für den Aufstand erhob und alles dieses vor den Augen der gesammten
polnischen Bevölkerung, unsichtbar allein für unsere Regierung, bewerkstelligte. Man hatte gegen all' dieses
zu kämpfen, zugleich aber und vor allem den bewaffneten
Aufstand, welcher die Regierung am meisten beschäftigte,
zu vernichten. Der Generalgouverneur sah gar nichts:
die russischen Behörden fühlten bloß ihre Ohnmacht und
den Haß der Polen, welcher sich in allen nur möglichen
Frechheiten und Mißachtung gegen das Heer äußerte,
und letzteres hatte laut Befehl mit Selbstverleugnung
dies alles zu ertragen. Alles mußten die Russen er-
dulden, und sogar die Familie des Generalgouverneurs
wurde von den Polen fast angespuckt.

In solch' trostloser Lage fand ich das Land, als ich
am 14. Mai 1863, um 3 Uhr Nachmittags, in Wilna
eintraf.

Auf dem Wege nächtigte ich in Dünaburg. Ich
war krank und außerdem sehr erschöpft. Ich mußte
nothwendigerweise auch die Autoritäten in Dünaburg
sehen, um von ihnen über die Lage des Landes etwas zu
erfahren, da man in St.-Petersburg hierüber gar nichts
wußte. General Dlotowski legte mir ausführlich die
elende Situation der Civil- und Militärverwaltung dar.

Ich überzeugte mich nun um so mehr von der Nothwendigkeit strenger Maßregeln, weil der Aufstand sich entwickelte, die Polen an ihrem Erfolge nicht zweifelten und sogar die alteingesessenen Russen im Lande die Sache für verloren gaben und davon überzeugt waren, daß wir den Forderungen der Polen, welche auf Vereinigung des unabhängigen Polen mit Litauen hinausliefen, nachgeben müßten. — Meine Pflicht war es, gleich von vornherein diese polnische Thorheit auszutreiben und in den Russen und den Truppen den Glauben an die Unerschütterlichkeit der von der Regierung zu ergreifenden Maßnahmen wiederzuerwecken. Mit einem Worte — es mußte die Regierungsgewalt und das Vertrauen zu derselben wiederhergestellt werden. Eine schwierige Aufgabe, die ich aber, da ich zu materiellen wie zu moralischen Opfern entschlossen war, mit vollem Gottvertrauen in's Werk setzen wollte.

In Dünaburg traf ich alle zum Schutze dieser Festung vor rebellischen Anschlägen erforderlichen Maßnahmen und berief die Adelsmarschälle und alle in der Stadt anwesenden Glieder des Adels zu mir. In Gegenwart aller Militär- und Civilbeamten sagte ich ihnen laut meine Ansicht und entwickelte ihnen das System, welches mir bei meinen Handlungen zur Richtschnur dienen würde. Um meine Entschlossenheit auch durch die That zu beweisen, befahl ich an Ort und Stelle, den

Adelsmarschall (welcher deutlich seine Ueberzeugung zum
Ausdruck gebracht hatte, daß die polnische Sache trium-
phiren werde) unter strenge polizeiliche Aufsicht zu stellen.
Es war dies ein Stiefbruder jenes Grafen Plater, welcher
einen Waffentransport überfallen hatte und in der Folge
erschossen wurde. Aber meinen Worten wurde noch wenig
Glauben geschenkt, da eben im Laufe von fast zehn
Jahren keinerlei Regierung und Autorität im Lande zu
finden gewesen war und die Polen überall herrschten,
so daß selbst die Truppen viele Officiere polnischer Herkunft aufwiesen, von denen ein großer Theil an der
Verschwörung theilnahm und behufs Bildung von Banden
in die Wälder ging. Die römisch-katholische Geistlichkeit
stand überall an der Spitze der polnischen Propaganda,
fachte den Aufstand an und brachte revolutionäre Ideen
Allen und Jedem, Klein und Groß, selbst in der Beichte
bei. — Da ich in Dünaburg erfuhr, daß die Hauptkräfte
der Insurgenten sich in den jenseit der Düna belegenen
Wäldern, in den Kreisen Nowo-Alexandrowsk und Dissna,
concentrirten, zog ich auch diese beiden Kreise zu dem,
dem General Dlotowski unterstellten Rayon hinzu.

In Wilna wurde ich von dem Generalgouverneur
sehr freundlich aufgenommen; er gab mir und meinem
Stabe, den aus Petersburg eingetroffenen Militär- und
Civilbeamten, ein Diner. Nasimow war augenscheinlich sehr zufrieden mit meiner Ankunft, weil er in der

That sich in einer trostlosen Lage befand; weder kannte
noch verstand er das Land, noch die Verhältnisse, unter
denen er lebte, und sah nur, daß Alles einen sehr schlechten
Gang nahm. Er war äußerst unzufrieden mit den
St.-Petersburger Machthabern und insbesondere mit dem
Minister des Innern, den er brieflich wiederholt auf die
Nothwendigkeit aufmerksam gemacht hatte, einen Wechsel
in dem System der Concessionen und der sog. Legalität,
mit welchem man den Aufruhr dämpfen wollte, eintreten
zu lassen. Nasimow konnte mir gar nichts über die
Lage des Landes mittheilen, und als er mich nach dem
Mahle in mein Cabinet führte, forderte er mich nur auf,
in die Hauskirche zu treten, um dort die von ihm beschafften
Meßgewänder, welche auf Tischen aufgestellt waren, in
Augenschein zu nehmen, worauf er mir nur noch die
Mittheilung machte, daß alle um das Haus herum befindlichen Sträucher von seiner Frau selbst gepflanzt
worden! — In Bezug auf das Land konnte er mich auf
nichts hinweisen, außer auf die Relationen, welche er
täglich von den Truppenchefs über Rencontres mit den
Insurgenten empfing und in welchen glänzende Siege
über angeblich ungeheuer zahlreiche Banden von Auf-
rührern geschildert wurden, während es sich herausstellte,
daß diese Banden größtentheils sehr geringfügig waren
und selten mehr als 300—500 Glieder aufwiesen. Von
der geheimen Organisation des Aufstandes hatte Nasimow

nicht die geringste Vorstellung; als ich ihn fragte, ob er
Mittel zu geheimen Nachrichten über die Insurrection
besitze, erwiderte er mir, daß er damit seinen Neffen
Mässojedow betraut habe, und empfahl mir zu diesem
Zwecke auch noch einen bekannten Juden, den Lieferanten
Alpatow.

Ich war durch den Aufenthalt Nasimow's in Wilna
sehr genirt, um so mehr, als ich von ihm absolut gar
nichts erfahren konnte, und demnach war ich sehr erfreut,
als ich erfuhr, daß er in zwei Tagen abreisen werde,
da er durch seine unnützen Erzählungen und seine Re-
commandationen verschiedener Beamten mich hinderte.

Am 14. Mai 1863 telegraphirte ich dem Kaiser,
daß ich mein Amt angetreten, und am 15. sagte ich einen
allgemeinen Empfang der Beamten, der Geistlichkeit und
überhaupt aller Stände in Wilna an.   Vorher fuhr
ich zusammen mit Nasimow zum Metropoliten Josif
(Semaschko) und hielt in der Nikolai-Kathedrale eine
Andacht ab.   Hier fand ich den Leichnam eines ermordeten
Gardesoldaten, von seinen ehemaligen Kameraden umgeben,
welche der Ankunft des Priesters zur Verrichtung der Seelen-
messe harrten.   Dieser Anblick übte einen überaus nieder-
schlagenden Eindruck auf mich aus. Als ich nach Hause zurückkehrte, fand ich schon alle Säle des Palais angefüllt.

Die Militärs begrüßten mich mit großer Freude,
besonders die Gardisten der 2. Infanterie-Division; denn

sie waren davon überzeugt, daß mit meiner Ankunft sich das bisherige Verwaltungssystem ändern und die Polen, bisher stolz und im Verkehr mit Russen nach Möglichkeit grob und unhöflich, sich bald beruhigen würden.

Die Civilbeamten (ausgeschlossen die in geringer Zahl vorhandenen russischen) empfingen mich mit augenscheinlicher Unzufriedenheit, besonders die Adelsmarschälle und die vorzugsweise katholische städtische Gesellschaft. Die Juden spielten eine zweideutige Rolle und gaben ihrer angeblichen Freude Ausdruck, was aber erheuchelt war, weil sie überall insgeheim den Aufruhr förderten und denselben sogar mit Geld unterstützten. Die römisch-katholische Geistlichkeit empfing mich in einem besonderen Saale, und auf ihren Gesichtern und aus ihren Worten, insbesondere denen des Bischofs Krassinski, war die feste Ueberzeugung. daß es mir nicht gelingen würde, den Aufruhr zu unterdrücken, erkennbar. Ich setzte allen sich mir Vorstellenden mein System auseinander: strenge und gerechte Verfolgung der Empörung, ohne Ansehen der Person, und sprach die Hoffnung aus, in ihnen die eifrigsten Mithelfer bei meinem Werke zu finden, wobei ich Denjenigen, welche meine Ansichten nicht theilten, rieth, aus dem Dienst zu treten; denn im entgegengesetzten Falle würde ich selbst sie unverzüglich entlassen und der gesetzlichen Verantwortung unterziehen. Alle schwiegen, wahrscheinlich

in dem Wunsche, sich praktisch von der Festigkeit
meiner Absichten zu überzeugen; vielleicht hofften sie, daß
ich doch gezwungen werden würde, nachzugeben und ein
anderes System zu verfolgen.

Bischof Krassinski war so überzeugt von der Un-
erfüllbarkeit meiner Pläne, daß er mich lächelnd fragte:
„Was für ein Aufruhr existirt denn hier? Man verfolgt hier nur einige unglückliche Widerspenstige, hinter
diesen sind die Soldaten her, wie Jäger hinter Hasen.“

Noch bemerkenswerther war das Gespräch mit dem
Gensdarmerie-Bezirksgeneral Hildebrandt, welcher
öffentlich den General Dlotowski der Nachsicht gegen
die Altgläubigen anklagte, welche die Bande des Grafen
Plater vernichtet hatten. Er bemühte sich in Gegenwart der Polen, aller Beamten und der römisch-katholischen Geistlichkeit, zu beweisen, daß dort ein Aufruhr
gar nicht stattgefunden habe, sondern bloße Plünderung
und Straßenraub seitens der Altgläubigen und überhaupt
der russischen Bauern.

Ich hieß ihn schweigen, und als Alle auseinander-
gegangen waren, sagte ich dem General Hildebrandt,
daß ich derartige Leute, wie er, in dem mir anvertrauten Gebiete nicht dulden könne, daß die Gensdarmerie mir helfen, aber nicht entgegenwirken müsse und
noch weniger die Polen aufmuntern und die Russen dafür
anklagen dürfe, daß sie ihre Unterthanenpflicht erfüllt

haben; daß nach dem Vorgefallenen ich mit ihm nicht dienen würde und daß ich ihn ersuchte, sich nach St.-Petersburg zum Chef der Gensdarmen zu begeben, an welchen ich seinetwegen behufs Unterlegung an Se. Majestät schreiben und den ich um einen Ersatzmann an seiner Stelle bitten würde. Hildebrandt war über meine Entschlossenheit erstaunt, weil er gewohnt war, nach seinem Gutdünken über die Handlungen der localen Obrigkeit zu verfügen. Nach einer Woche schon befand sich Hildebrandt nicht mehr in Wilna, sondern in St.-Petersburg, und Fürst Dolgorukow war, obgleich mit sichtbarem Mißvergnügen, genöthigt, ihn seines Amtes zu entheben.

Am 16. Mai verließ auch Generaladjutant Nasimow Wilna — und ich war erst jetzt in der Lage, frei über die Beamten zu verfügen, welche, bei geringer Zuverlässigkeit, mehr oder weniger unter der besonderen Protection Nasimow's oder seiner Familie standen.

IV.

Die erste Zeit meines Aufenthalts in Wilna war äußerst schwierig. Ich mußte wenigstens eine Woche verlieren, um mich mit den verschiedenen Personen, denen die Verwaltung übertragen war, wie auch überhaupt mit dem Gange der Dinge, d. h. mit der politischen Situation des Landes, bekannt zu machen. Besondere Sorge machte mir die Lage der Truppen und ihre richtige Vertheilung auf der ungeheuren Ausdehnung des mir anvertrauten Gebietes, um den überall umherstreifenden Banden Hindernisse in den Weg zu legen.

Den gesammten Erfolg danke ich vorzugsweise den Gardeofficieren, in denen ich die eifrigsten und verständigsten Mitarbeiter fand. Sie nahmen mit Freuden alle ihnen auferlegten Pflichten, militärische wie bürgerliche, an und erfüllten dieselben ausgezeichnet. Auch bei den Soldaten war ein besonderes Bestreben zur Niederwerfung des Aufruhrs sichtbar: sie unternahmen Alles mit Selbstverleugnung, und zu ihrer Aufmunterung trug viel mein Befehl bei, gegen keinen Polen Nachsicht zu üben, welcher

sich ihnen gegenüber frech betragen würde. Alle derartigen
Personen seien sofort in Arrest zu nehmen und an den
Commandanten abzufertigen. Diese augenscheinlich un-
wichtige Maßregel hat indessen bedeutend dazu beige-
tragen, daß den Polen der Muth sank: sie sahen, daß
das Ansehen der Regierung und die erforderliche Achtung
gegen die Russen wiederhergestellt wurden.

Zur Bezwingung der Rebellion war es ferner nothwendig, eine Instruction mit genauer Darlegung der
Pflichten des Militärchefs und anderer Personen, denen
die Verwaltung von Bezirken angewiesen war, auszuarbeiten. Die Hauptsache bestand in einer Eintheilung
des ganzen Landes und aller Kreise in, den Verhältnissen
und dem jeweiligen Stande des Aufruhrs entsprechende Militärrayons, welche besonders hierzu ernannten
Personen anvertraut wurden. Letzteren wurde die gesammte Bevölkerung in dem von ihnen befehligten Kreise
unterstellt. Die von mir ausgearbeitete Instruction für
die Militärpolizeiverwaltung, welche auf den Grundsätzen
meines Systems aufgebaut war und den betreffenden
Posten volle Verantwortlichkeit zuwies, versandte ich
überallhin zu genauer und unweigerlicher Ausführung,
und nach und nach ernannte ich möglichst zuverlässige
Bezirkschefs, welchen auch das Commando der in ihrer
Gegend stehenden Truppen übertragen wurde.

Die Instruction trat mit dem 24. Mai 1863 in

Kraft und diente als Eckstein aller weiteren Maßnahmen
behufs Unterdrückung des Aufstandes und Organisation
des Landes.

In dieser Zeit erhielt ich die erste tröstliche Sym-
pathiebezeigung für meine Thätigkeit und zwar aus Moskau, von dem Metropoliten Philaret, welcher mir das
Bild des heiligen Erzstreiters Michael mit einem be-
merkenswerthen Briefe folgenden Wortlautes übersandte:

„Man hörte und sah, daß die vielseitige staats-
männische Thätigkeit Euerer hohen Excellenz schließlich der
Erleichterung bedurfte, so daß einem Theil Ihrer pflicht-
mäßigen Arbeit eine gewisse Ruhe gegönnt war. Sobald
aber das Wort des Zaren Sie zur Vertheidigung und
Pacificirung des Vaterlandes aufrief, haben Sie Ihres
Ruhebedürfnisses vergessen, haben Sie ohne Zögern eine
Last auf sich genommen, welche große Kräfte und uner-
müdliche Thätigkeit fordert, und haben Sie in der Liebe
zum Zaren und zum Vaterlande neue Kräfte gefunden.
Alle echten Söhne des Zaren und des Vaterlandes haben
die Kunde davon mit Freude und mit Hoffnung aufgenommen. Ihre bloße Ernennung bedeutet eine Niederlage der Feinde des Vaterlandes, Ihr Name — den Sieg.

Der Herr verleihe Ihnen die Kraft, das Werk der
Gerechtigkeit und des Friedens zu Ende zu führen. Der
himmlische Erzkämpfer komme Ihnen zu Hilfe; er ziehe
mit feurigem Schwerte vor Ihnen her und bedecke Sie

mit dem Schutze des Himmels. — Mit diesen Wünschen
und Hoffnungen sende ich Ihnen gleichzeitig hiermit
meinen Segen und das Bild des heiligen Erzstreiters
Michael." Auf diesen Brief antwortete ich Folgendes:

„Tief haben mein Herz Euer huldvolles Sendschreiben
und Euer bischöflicher Segen, ertheilt mit dem Bilde des
heiligen Erzstreiters Michael, gerührt. Die Wege des
Höchsten sind unerforschlich; — unerwartet wurde ich
aus friedlichem Leben durch den Willen des Kaisers auf
die Wahlstatt berufen, zur Unterbrückung der Empörung
und des Aufruhrs. Eine schwere Aufgabe ward mir gestellt: ein Land zu beruhigen, Eidesbrecher mit Hinrichtungen und Blut zu züchtigen. Das menschliche Auge
bringt nicht durch den Vorhang, welcher die Zukunft
dieses Werkes verhüllt. — Indem ich die Pflicht eines
treuen Unterthans und eines Russen erfülle, ist meine
Seele im festen Vertrauen auf Gott ruhig. Kühn be-
schreite ich den Weg, der mir vorgezeichnet ist. Unter.
Mitwirkung unserer ruhmreichen Kriegerschaft wage ich
nicht, an einem Erfolge zu zweifeln. — Indem ich mich
und die mir gewordene Aufgabe, die Pacificirung Litauens,
dem bischöflichen Segen und Eurem heiligen Gebet em-
fehle, bin ich mit tiefster Hochachtung zc."

Inzwischen beschäftigte ich mich mit der Organisation der Stadt Wilna selbst und mit der Errichtung
einer Polizei, die bisher gar nicht bestanden, so daß die

Chefs der die Stadt umlagernden Banden und überhaupt alle Aufständischen alles Nöthige aus Wilna erhielten und selbst in der Stadt einige Tage hindurch wohnten — mit einem Worte: Wilna war das Arsenal der Rebellen, aus dem ihnen tagtäglich eine bedeutende Anzahl von Neuangeworbenen zugeführt wurde. An jedem Tage überreichte mir der Polizeimeister eine Liste von circa 40 — 50 städtischer Einwohner, die sich dem Aufstande angeschlossen hatten; sie durch Truppen zurückzuhalten, war unmöglich, die Stadt war offen.

Ich griff zur Verhängung von Strafen, die sich als sehr erfolgreich erwiesen. Es wurde befohlen, von allen Hauswirthen, Handwerksmeistern, Tracteurinhabern x. eine Strafe von 10—25 Rubeln für jeden aus ihren Häusern und Etablissements weggezogenen und zu den Aufständischen übergegangenen Mann zu erheben und diese Zahlung unverzüglich beizutreiben, sei es auch mittelst Zwangsexecution. In gleicher Weise wurden auch die Klöster und die römisch-katholische Geistlichkeit für jeden aus ihrer Mitte zur Rebellion Uebergehenden mit einer Strafe von 100 Rubeln belegt und bei Wiederholung des Ueberlaufs mit der doppelten Strafzahlung. Das Anlegen von Trauer wurde mit 25 Rubeln und im Wiederholungsfalle mit dem Doppelten bestraft. Durch diese Maßregeln, welche streng und unverzüglich ausgeführt wurden, hörte all' dieser Unfug auf, und nur noch selten verschwanden einige

Obdachlose aus der Stadt. Die Priester und die Mönche
hörten, nachdem sie einige hundert Rubel Strafe gezahlt
hatten, auf, sich den Banden anzuschließen; nichtsdestoweniger wirkten sie, in Wilna zurückbleibend, geheim
und offen bei der Rebellion mit, als einer der Eifrigsten
der Bischof Krassinski.

Alle diese und viele andere ähnliche Maßregeln,
deren ich mich nicht mehr erinnere und deren Auf-
zählung mir Schwierigkeiten bieten würde, stifteten
sichtlichen Nutzen und brachten die polnischen revolutionären Manifestationen ganz zum Schweigen; aber
bisher war noch nicht genug geschehen, man mußte
zu wichtigeren Maßnahmen und zu strengerer Verfolgung
der Rebellion schreiten. Viele Personen waren zu verschiedenen Zeiten wegen Betheiligung am Aufstande ergriffen worden, und alle Gefängnisse waren mit derartigen
Arrestanten angefüllt; die Untersuchung gegen dieselben
war in vielen Fällen nicht zum Abschluß gebracht, in
manchen sogar nicht einmal begonnen worden. Die Urtheile der Kriegsgerichte waren noch nicht bestätigt worden,
weil man fürchtete, durch Strenge die Insurgenten zu
reizen.

Ich aber wollte den Polen zeigen, daß unsere Regierung sich nicht fürchte, und ging sofort daran, die Urtheile über die wichtigeren Verbrecher durchzusehen, sie
zu bestätigen und den Befehl zu ihrer Ausführung zu

ertheilen, was auch auf dem Marktplaße in Wilna, um
die Mittagszeit, nach vorheriger unter Trommelschlägen
erfolgter Bekanntmachung in der ganzen Stadt, geschah.
Ich begann mit den Priestern, den Hauptanstiftern des
Aufruhrs: zwei von ihnen wurden in einer Woche erschossen. Die Polen glaubten nicht, daß ich mich hierzu
entschließen würde; als sie aber sahen, daß ich vollen
Ernst machte, erfaßte sie alle Furcht. Es gab viel Weh-
klagen und Geschrei in der Stadt, und viele reisten sogar
ab. Der Bischof Krassinski erschrak am meisten über
die Hinrichtung der Priester. Er fürchtete für sich und
sein Capitel, und als ich forderte, daß er mittelst Cir-
cularschreibens die römisch-katholische Geistlichkeit auf-
fordern solle, der Insurrection entgegenzuwirken, meldete er
sich krank und übergab einem Anderen das Präsidium im
Consistorium. Um ein Exempel zu statuiren, fertigte ich
ihn mit einem Gensdarmen nach Wätka ab, wo
er noch gegenwärtig (1866) lebt. — Unter den in-
haftirten Personen befanden sich der verwundete ehemalige Generalstabscapitän Sjerakowski, welcher die
größte, vom General Ganezki vernichtete Bande in
Samogitien befehligt hatte, und der Edelmann Kolyszko,
Chef einer anderen bedeutenden Bande. Ich befahl, den
Gang der Untersuchung zu beschleunigen, und — beide
wurden gehängt.

Diese vier Beispiele wirkten nicht wenig auf die

Polen ein, und sie begannen zu der Ueberzeugung zu ge-
langen, daß man mit ihnen nicht scherze, und nach polnischer Art suchten viele bei uns um Schutz nach, diejenigen namentlich, welche noch vor kurzem sich mit
Stolz die Wiederhersteller des polnischen Vaterlandes
und die Verfolger der Moskals und Mongolen genannt
hatten!

3 *

V.

Bei Ergreifung von Maßnahmen gegen die überall herumstreichenden Insurgentenbanden, welche Proviant und Ausrüstung von den Gutsbesitzern selbst erhielten, kam ich bald zur Ueberzeugung, daß durch Waffengewalt allein der Aufruhr nicht gedämpft werden könne, weil das ganze Land von revolutionärem, von Priestern, Adel und Schliachta aufrechterhaltenem Geiste inficirt war, und daher hielt ich es für nothwendiger, die aller= entschiedensten Maßregeln gegen die Gutsbesitzer, welche den Insurgenten ein Asyl gaben, und zur Entdeckung der das ganze Land umspannenden geheimen Organisation zu ergreifen.

Dadurch, daß ich, wie bereits erwähnt, in den Kreisen Militärpolizeiverwaltungen errichtete und alle Gewalt in den Händen der Militärchefs concentrirte und über alle sechs Gouvernements den Kriegszustand verhängte, erhielt ich die Möglichkeit, in allen Kreisen, welche sich in größerem Maße am Aufstande betheiligt hatten, Mi= litäruntersuchungscommissionen niederzusetzen. Außerdem

befahl ich, in allen Gouvernementsstädten ein sorgsames
Auge auf die Ermittelung der Vergehen aller Derer zu
richten, welche mehr oder weniger directen oder indirecten
Antheil am Aufstande gehabt, namentlich auch diejenigen
Gutsbesitzer der Verantwortung zu unterziehen, welche
die Insurgenten bei sich aufgenommen und mit Brod,
Waffen und Geld versorgt hatten, diejenigen nicht ausgeschlossen, welche behaupteten, hierzu durch Drohungen
seitens der Rebellen veranlaßt worden zu sein. Außerdem traf ich die Verfügung, daß alle Gutsbesitzer, welche
in Städten wohnten (angeblich, um Gefahren zu entgehen,
in Wirklichkeit aber, um ihre geheimen Beziehungen zu
den Insurgenten, welche sie an Ort und Stelle durch ihre
Gutsverwalter mit allem Nothwendigen versorgten, zu
verdecken), sich unverzüglich auf ihre Güter begaben und
dort für die Ruhe in den Wäldern und den ihnen gehörenden Landstücken verantwortlich waren, wobei ihnen mit
dem Kriegsgericht gedroht wurde, falls sie es unterlassen
sollten, das nächstbelegene Militärcommando von der
Ankunft der Insurgenten in Kenntniß zu setzen.

Alle diese Maßregeln zusammengenommen versetzten
die örtliche Verwaltung in die Lage, in kurzer Zeit die
Hauptführer des Aufstandes zu ergreifen und der weiteren
Entwickelung der Insurgentenbanden, welche von selbst
zu zerfallen begannen, da sie bei der Bevölkerung keine
Unterstützung fanden, ein Ziel zu setzen. Da begannen

denn auch die Bauern, die so lange Zeit durch die
Insurgenten gemeinsam mit den Priestern für ihre Ergebenheit gegen die Regierung mit Foltern und grausamen Strafen bedroht worden waren, zu sehen, daß die
Macht des Staates erstarkte; sie begannen allmählich sich
von der sie beängstigenden Furcht loszumachen und der
Regierung bei der Aufdeckung der noch in den Wäldern
herumstreifenden Insurgentenhaufen zu helfen. So wurde
es in kurzer Zeit möglich, aus den Bauern selbst eine
bewaffnete Landwache zu bilden, welche überall bei der
endlichen Ausrottung der Rebellen den Truppen Dienste
leistete.

Es ist ganz wunderbar, wie die örtliche Oberverwaltung des Landes so kurzsichtig hatte sein können, daß
sie geradezu eine vollständige Vernichtung der Regierungs-
gewalt und des Respects vor derselben zuließ, so daß
Niemand, selbst die Bauern nicht, auch nur an die Möglichkeit der Wiederherstellung der russischen Regierung im
Lande glaubte.

Das Manifest vom 19. Februar 1861 über die Aufhebung der Leibeigenschaft war wegen der Schwäche und
Nachlässigkeit der Obrigkeit nicht einmal in Wirksamkeit
getreten. Noch zu Anfang des Jahres 1863 mußten die
Bauern an vielen Orten Frohndienste leisten oder un-
glaublich hohe Pacht dort zahlen, wo die Frohne abgeschafft
war. Die Friedensvermittler waren überall aus den

örtlichen Gutsbesitzern gewählt worden, welche zum
größten Theil als Agenten, ja sogar als die geheimen
Spitzführer des Aufstandes fungirten; in den Kreisen und
in den Städten fanden Versammlungen von Gutsbesitzern
und Friedensvermittlern statt behufs allgemeiner Ver-
abredungen über die Organisation des Aufstandes und
Hinzuziehung der Bauern zu demselben. Nach Wilna
wurden im Februar 1863 fast alle Gutsbesitzer und
Friedensvermittler angeblich zu Berathungen über die
Bauernfrage berufen; auf diesem und auf einem ähnlichen Congresse in Kowno wurden indessen die Grundsätze festgesetzt, wie beim Aufstande vorzugehen sei, und
hier vereinigten sich beide Parteien, die sogenannten
Weißen und Rothen, wobei für die Gouvernements- und
Kreisstädte je zwei Delegirte erwählt wurden, welche über
die Thätigkeit sowohl der Adelsmarschälle als auch der
Regierung selbst wachen sollten. Und alles dieses geschah
offen unter den Augen derselben Regierung! Der Generalgouverneur besaß nicht die Energie, diesen revolutionären
Manifestationen ein Ende zu machen. Ich spreche schon
gar nicht von denjenigen Manifestationen, welche sich von
1860—1863 in verschiedener Form überall, in den Kirchen,
auf den Straßen, auf den öffentlichen Promenaden und
überhaupt überall da, wo es nur irgend möglich war,
fortsetzten: Hunderte und Tausende versammelten sich
und sangen Hymnen auf die Befreiung Polens vom

Roskowiterjoch, wobei alle nur möglichen Schmähungen laut wurden. Die vom Minister des Innern niedergesetzten Polizeigerichte, welche aus denselben Edelleuten bestanden, waren nur Gegenstand des Gelächters über die Ohnmacht unserer Regierung. Die Polizeibeamten, welche über derartige Volksversammlungen der Obrigkeit Anzeige machten, wurden von Polen geschlagen und mit Schmähungen aus den Kirchen ec. gezerrt. Als der Generalgouverneur einmal einige Gymnasiasten, die in der Kirche Hymnen gesungen hatten, arretiren ließ, kamen Haufen von Frauenzimmern aller Stände in sein Palais, um sie zu befreien; der Generalgouverneur war genöthigt, sich in seine inneren Gemächer zurückzuziehen, und nach einigen Unterhandlungen wurden die Arretirten freigegeben; die Frauenzimmer aber entfernten sich, nachdem sie erfahren hatten, es sei der Befehl zur Herbeiführung von Feuerspritzen gegeben worden. Alle diese frechen Ausschreitungen der Bewohner Wilna's zu beschreiben, wäre überflüssig — sie sind Allen zur Genüge bekannt.

Das Gesetz vom 19. Februar 1861 wurde den Bauern in entstellter Fassung wiedergegeben, und bei Abfassung der Reglementsurkunden wurden ihnen die besten Landstücke abgenommen und mit hohem, ihre Kräfte weit übersteigendem Zins belegt; man erklärte den Bauern, daß gerade hierin die ihnen verliehene zarische Gnade und Freiheit bestehe, daß sie aber, wenn

sie der polnischen Regierung beiständen, alles Land zum
Geschenk erhalten und von jeglicher Abgabe befreit sein
würden. Diejenigen Bauern, welche die gesteigerten
Zahlungen nicht leisteten, wurden streng bestraft, in's
Gefängniß gesperrt, und die örtliche Obrigkeit sandte
noch, auf Betreiben der Friedensvermittler und Guts-
besitzer, Truppen zur Dämpfung des vermeintlichen
Bauernaufruhrs.

Zu Anfang Mai 1863 forderten ein großer Theil
der Friedensvermittler und Kreisadelsmarschälle sowie
einige beim Generalgouverneur angestellte polnische Beamte ihre Entlassung; in den Demissionsgesuchen wurden
die frechsten Ausdrücke gegen die Regierung gebraucht, und
es wurde darin gesagt, daß dieselbe die Bauern gegen die
Gutsbesitzer aufhetze und eine galizische Jaquerie vorbereite
und daß aus diesem Grunde die Friedensvermittler und
Adelsmarschälle (u. A. auch die Gouvernementsadelsmar-
schälle von Grodno und Minsk, Starszinski und Lappa)
es für unanständig hielten, einer solchen Regierung ferner
zu dienen. Ihr Hauptzweck hierbei war offenbar: die
allgemeine Unzufriedenheit der Gutsbesitzer über die Regierung anzufachen und dieselben zur eifrigeren Mitwirkung am Aufstande, an dessen Spitze sie standen, zu bewegen.

Der Generaladjutant Nasimow war durch diese allgemeine Beamtenverschwörung in Furcht gejagt worden.
Die den Dienst verlassenden Beamten handelten offenbar

auf Befehl des revolutionären Rzonds. Einige über-
redete er zum Bleiben; den größten Theil der Gesuche
ließ er aber unerledigt, wahrscheinlich in Erwartung
meiner Ankunft.

In der Meinung, daß man auf diese freche Mani-
festation mit energischen Maßregeln antworten müsse,
verfügte ich sofort, alle um Entlassung Nachsuchenden
unverzüglich aller amtlichen Functionen zu entkleiden,
diejenigen Friedensvermittler und Kreisadelsmarschälle
aber, die in ihren Gesuchen freche Ausdrücke gebraucht
oder an geheimen Zusammenkünften und Comploten
theilgenommen hatten, sofort zu arretiren, sie nach den
Gouvernementsstädten zu bringen und dort unter strenge
polizeiliche Aufsicht zu stellen. Den Hauptschuldigen
wurde Wache in's Haus gelegt und vor dem Kriegsgericht der Proceß gemacht. Die Friedensgerichte in den
vier sogenannten litauischen Gouvernements wurden, weil
zum Schaden der Regierung und zur Bedrängung der
Bauern wirkend, gänzlich geschlossen, und die Beschützung
der Bauern vor den Bedrückungen der Gutsbesitzer wurde
den Militärschefs und der Kreispolizei, in welche allmählich immer mehr russische Beamte traten, übertragen.

Die gegen die Demissionirenden ergriffenen Maßregeln riefen allgemeinen Schrecken hervor: viele politisch
unzuverlässige Friedensvermittler und Adelsmarschälle
wurden zum Aufenthalt in entfernere Gouvernements

.

verſchickt und ihr Vermögen ſequeſtrirt; andere blieben unter Bewachung bis zum Abſchluß ihrer Proceſſe. Die Entlaſſungsgeſuche hörten nicht nur ganz auf, ſondern viele begannen auch um Begnadigung und Wiedereinſetzung in ihre Aemter zu bitten. Auf letzteres wurde indeſſen nicht eingegangen; die polniſche Beamtenwelt beruhigte ſich aber, wenn auch nur äußerlich. Es blieben unter den Gouvernementsadelsmarſchällen noch zwei, die ſich in hervorragendem Maße am Aufſtande betheiligten, die ſchon erwähnten Graf Starszinski und Lappa. Letzterer wurde verhaftet und aus Minsk nach Wilna transportirt und von dort nach dem Gouvernement Perm verbannt; den Grafen Starszinski aber befahl ich nach Wilna zu bringen, wo er in Arreſt gehalten und dem Kriegsgericht übergeben wurde.

Starszinski war einer der bemerkenswertheſten Vertreter der polniſchen Propaganda und Rebellion. Schon früher war er für Theilnahme an politiſchen Comploten nach dem Kaukaſus verſchickt worden, wo er als gemeiner Soldat diente. Im Jahre 1856 wurde er begnadigt, in die Heimath zurückbefördert, zum Grodnoſchen Kreisadelsmarſchall erwählt, und 1861 fungirte er ſogar als ſtellvertretender Gouverneur. Er verſtand es, in die intimſten Beziehungen zu den höchſten Regierungs-Autoritäten in St.-Petersburg zu treten, und zu gleicher Zeit ſtand er in geheimem Verkehr mit allen revolutionären

Agenten im Auslande und besonders in Warschau, wo
er namentlich in dem Marquis Wielopolski einen Pro-
tector fand. In der Folge auch von dem Minister des
Innern protegirt, überreichte er letzterem verschiedene
Projecte über die Wiederherstellung eines von Rußland
getrennten, aber mit Polen vereinigten Litauen, wobei
er glauben machen wollte, daß nur hierdurch die mehr
als drei Jahre andauernde revolutionäre Bewegung im
Lande beruhigt werden könne. Auf diese Weise unter
dem Schutze Walujew's, des Fürsten Dolgorukow u. A.
stehend, welche zum Unglück das ganze westliche Gebiet
nicht als russisches anerkannten, sondern für ein angeblich uralt polnisches Land erklärten, — wurde Starszinski
auch dem Kaiser vorgestellt; es wurde ihm sogar eine
Wohnung im Palais von Zarskoje-Sselo eingeräumt, und
er war nicht selten beim Kaiser, um ihm seine Projecte
vorzulesen. Im Winter 1862 wurde Starszinski sogar
eingeladen, den Kaiser nach Moskau zu begleiten, wo er
während des ganzen Aufenthalts Sr. Majestät verblieb
und mit allen Mitteln zu beweisen versuchte, daß man
die Polen durch Milde, Sanftmuth und durch Wiederherstellung der Grenzen von 1772 versöhnen müsse.

So groß war die Verwirrung in den höchsten Regierungssphären, daß man Starszinski wie einem Orakel
Glauben schenkte und daß ihm confidentiell gestattet wurde,
dem Minister des Innern seine Ansichten über die Lage und

seine Projecte in Bezug auf die zukünftige Pacification des Landes mitzutheilen. Nachdem Starszinski 1862 nach Grodno zurückgekehrt war, wollte er vom General-gouverneur gar nichts wissen, zeigte ihm volle Verachtung und erzählte Jedermann von der glänzenden Aufnahme bei Sr. Majestät und von der Protection, die er bei den maßgebenden St.-Petersburger Autoritäten gefunden. Auf diese Weise beherrschte er die gesammte polnische Intelli-genz im Lande; alle Polen sahen auf ihn, wie auf den künftigen Befreier, welcher bereits die locale Regierungs-gewalt dreist verachtete.

Als im Februar 1863 der Aufstand ausbrach, ent-schied sich Starszinski dafür, selbständig einzugreifen; er schrieb dem Kaiser und dem Minister des Innern ver-messene Briefe, in welchen er die Regierung anklagte, angeblich demokratische Principien und einen Aufstand der Bauern gegen die Gutsbesitzer zugelassen, sowie strenge Maßregeln zur Verjagung des polnischen Elements im Lande und Waffengewalt gegen dasselbe ergriffen zu haben, wobei er erklärte, daß er nach dem, was vorgefallen sei, sich nicht mehr für verpflichtet halten könne, der Re-gierung als Adelsmarschall zu dienen, und deshalb sein Amt niederlege. Zugleich setzte er hiervon auch alle Grodnoschen Kreisadelsmarschälle in Kenntniß, damit sie seinem Beispiel Folge leisteten, was in der That auch geschah. Der Minister des Innern erblickte in diesem

Vorgehen nichts, was mit der Ehre eines Polen und den Pflichten eines treuen Unterthans collidirte, und erwirkte die Allergnädigste Verabschiedung Starszinski's „seiner Bitte gemäß" unter der einzigen Bedingung, daß er seinen Wohnort in Grodno beibehalte.

General Rasimow, — welcher der Ansicht war, daß der Aufenthalt Starszinski's in Grodno, wegen seiner Verbindungen mit den Revolutionären, für das Land schädlich und gefährlich sei, und in dem Vorgehen Starszinski's eine großartige Frechheit und Ungesetzlichkeit erblickte, — beantragte, daß der ehemalige Adelsmarschall zur Verantwortung gezogen werde; aber der Minister des Innern zog die Sache unter verschiedenen Vorwänden hin und gab schließlich gar keine Antwort. Als ich mich nach meiner Ankunft in Wilna von dem Unheil, das Starszinski in Grodno anrichtete, überzeugt hatte, befahl ich — wie bereits erwähnt — ihn zu verhaften und nach Wilna zu bringen, wo ich ihn dem Kriegsgericht übergab. Ich setzte den Minister des Innern hiervon in Kenntniß und ersuchte ihn um Uebermittelung der gesammten, zwischen ihm, Walujew und Starszinski geführten Correspondenz. Es versteht sich von selbst, daß der Minister mir gegenüber keinen Widerspruch wagte; aber er sandte mir dennoch lückenhafte Nachrichten über das Auftreten Starszinski's in St.-Petersburg. Im Uebrigen fand sich für alles Das, was oben über

Starszinski gesagt worden, in den eigenen, mit Beschlag belegten Papieren desselben der nöthige Beleg. Das Kriegsgericht verurtheilte ihn auf stricter gesetzlicher Grundlage zur Zwangsarbeit; aber da begann die St.-Petersburger Intrigue sich in die Sache hineinzumischen und ihr zu schaden. Fortwährend wurden auf Allerhöchsten Befehl Nachrichten über den Gang des Processes eingefordert, augenscheinlich zu dem Zwecke, um die albernen Beziehungen des Ministers des Innern zu Starszinski zu verdecken, und da Starszinski selbst zu seiner Rechtfertigung sich auf die St.-Petersburger Regierung berief, so mußte nothwendigerweise das über ihn verhängte Urtheil verändert werden: er wurde demnach zum Aufenthalt in entfernten Gouvernements und zu einjähriger Festungshaft verurtheilt. Aber auch dieses Urtheil wurde in St.-Petersburg noch gemildert: die Festungshaft sollte er in Bobruisk verbüßen, also an einem Orte, wo die polnische Propaganda noch eifrig wirkte, und dann im Gouvernement Woronesh dauernden Aufenthalt nehmen.

VI.

Ich habe die Episode mit Starszinski nur deshalb in aller Ausführlichkeit erzählt, um die Situation zu kennzeichnen, in welcher sich die Regierung beim Ausbruch der Insurrection befand und mit welcher ich zu kämpfen hatte; es war offenbar, daß von den Kämpfen mit drei Feinden — dem Aufruhr, der Regierung in St.-Petersburg und Warschau — der gegen die beiden letzteren geführte der allerschwerste war, weil alle Kraft des Aufstandes in diesen beiden Punkten lag und die Insurrection sich an Ort und Stelle weniger aus eigener Kraft aufrechterhielt (die Polen haben zu wenig Beharrlichkeit, um ein Ziel lange zu verfolgen) als in der Hoffnung auf besondere Protection.

Diese Protection ging so weit, daß, als der Aufstand in den nordwestlichen Gouvernements in Folge der von mir ergriffenen Maßregeln aufzuhören begann, ich zur Aufrechterhaltung der Ruhe im Lande genöthigt war, Truppenabtheilungen in die benachbarten Gouvernements des Königreichs Polen zu entsenden, um die

Insurgentenbanden (welche dort nach eigener Willkür schalteten und unaufhörlich in das Grodnosche Gouvernement eindrangen, wo sie Plünderungen und andere Unthaten begingen), zu unterdrücken. Diese revolutionären Zusammenrottungen fanden dort ohne jegliche Ahndung statt und dehnten sich auf das Grodnosche Gouvernement aus, wo Mord und Todtschlag an der Tagesordnung waren. Im Augustowoschen formirte sich sogar ein reguläres Heer. Die Schwäche der Verwaltung im Königreich ging so weit, daß der Befehl erlassen wurde, in den Kreisrenteien für Rechnung der Krone alle von den Insurgenten über erhobene Contribution ausgestellten Quittungen entgegenzunehmen; verwundete Insurgenten sollten ruhig in der Pflege der Gutsbesitzer belassen werden, ohne sie für Gefangene zu erklären.

Die Anarchie und die Nachsicht gegen die Rebellion im Königreich nahm dermaßen überhand, daß einige Gemeinden im Gouvernement Augustowo sich veranlaßt sahen, mir am 6. Aug. eine Deputation zuzusenden, die mir eine mit Tausenden von Unterschriften bedeckte Adresse überreichte, welche die Bitte enthielt, sie unter meine Verwaltung nehmen und vor den Gewaltthaten der Insurgenten schützen zu wollen. In Folge dieser Adresse und angesichts der sich immer mehr entwickelnden Rebellion und Desorganisation im Königreich befahl der Kaiser, das Augustowosche Gouvernement mir zu unterstellen. Mit der Verwaltung des Königreichs wurde nach dem September 1863 Graf Berg betraut.

Von den Gouvernementsadelsmarschällen verstand der Wilnasche, Domeiko, seine polnischen Tendenzen vor dem ehemaligen Generalgouverneur zu verbergen; von der einen Seite that er der revolutionären Gesinnung der Gutsbesitzer Alles zu Gefallen, von der anderen suchte er die Geneigtheit der Regierung für sich zu erlangen, so daß er zu Ostern 1863, als der Aufstand schon in voller Entwickelung stand, als Belohnung für sein zweideutiges Verhalten den Stanislaus-Orden erster Klasse erhielt. Bald darauf erhielt er aber vom Nzond den Befehl, den Dienst zu verlassen, und es wurde ihm außerdem die Unzufriedenheit der revolutionären Oberen über die erhaltene Auszeichnung eröffnet. In noch größeren Schrecken wurde er durch die Nachricht von meiner Ernennung zum Generalgouverneur versetzt, und er beeilte sich in Folge dessen, nach St.-Petersburg zu reisen, um sich, wie er sagte, vor den Verfolgungen der Rebellen zu schützen. Domeiko war kein schlechter, aber ein schwacher und schlauer Mann; er wollte laviren. Nachdem er in St.-Petersburg eingetroffen war, erschien er bei mir und suchte um Urlaub zum Besuch ausländischer Bäder nach. Es versteht sich von selbst, daß ich ihm diesen verweigerte und ihm befahl, sofort nach Wilna aufzubrechen, weil jetzt jeder, mehr als jemals, ohne

Rücksicht auf jegliche Gefahr, auf seinem Platze sein müsse: er wurde krank und erschien erst einige Wochen nach meiner Ankunft in Wilna. Ich zwang ihn, sein Amt anzutreten und entschieden vorzugehen, d. h., sich entweder als Freund oder als Feind der Regierung zu zeigen. Zu jener Zeit fing man schon an, sich davon zu überzeugen, daß die Autorität der Regierung in Litauen hergestellt werden werde, und so entschloß sich denn auch Domeiko, wenigstens äußerlich, gegen den Aufstand zu wirken. In der That bildete sich um ihn eine Gruppe von polnischen Gutsbesitzern, welche es für vortheilhafter erachtete, sich zur Zeit von allen revolutionären Dingen fernzuhalten.

Um diese günstige Wandlung auszunutzen, bemühte ich mich, den Adel zu mahnen, ein Gesuch um Begnadigung einzureichen. Da der Aufstand zu Ende Juni sichtlich an Kraft verlor, ein großer Theil der geheimen und öffentlichen Führer der Rebellion ermittelt und verhaftet, die anderen aus Furcht in's Ausland geflüchtet waren und auch die Bauern wie die einfachen Leute, welche am Aufstande Theil genommen hatten, die Ohnmacht der durch unsere Truppen immer näher der Auflösung entgegengeführten Banden erkannten und zur Bearbeitung ihrer Felder sich heimwärts wandten, — so begannen auch die Edelleute des Gouvernements Wilna in immer größerer Zahl dem Kreise beizutreten, welcher um Gnade zu bitten beab-

4*

fichtigte. Um dieser Bewegung einen größeren Schwung
zu geben, erließ ich im Juni einen Aufruf an das Volk,
in welchem ich die ganze Unfinnigkeit des Aufstandes und
die demselben entspringenden Folgen erklärte und allen
Begnadigung versprach, die unter Ablieferung ihrer Waffen
nach Hause zurückkehrten, und unabhängig davon beauftragte ich alle Landgemeinden, die sorgfältigste Aufsicht
über die Gutsbesitzer und Verwalter zu üben und über
die Theilnehmer am Aufstande unverzüglich der Obrigkeit
zu berichten. Zugleich wurde befohlen, eine Volkszählung
und Verzeichnung aller Stände zu veranlassen, wobei
strenge Maßregeln dagegen ergriffen werden sollten, daß
sich Personen irgend welchen Standes ohne Pässe von
ihren Wohnorten entfernten; besonderer Aufmerksamkeit
wurden die Priester empfohlen und alle Diejenigen,
welche diese Paßregeln verletzten, namhafter Strafe unterzogen. Von denjenigen Gutsbesitzern und Gemeinden,
welche Insurgenten eine Zuflucht bei sich boten, wurden
Contributionen erhoben.

Diese Maßregeln hatten den günstigsten Erfolg. Zu
Ende Juli hatten bereits viele Tausende die Insurgentenbanden verlassen und ihren heimathlichen Herd aufge-
sucht, wobei die Bandenführer, welche diese Bewegung
nicht verhüten konnten und ihre Leute entließen, ihnen das
Versprechen abnahmen, daß sie nach der Ernte zurückkehrten, zu welchem Zwecke sie die Waffen in den Wäldern

vergruben, um sie bei der künftigen Bewaffnung wieder zu brauchen. Auf Anordnung des Rzonds theilten sich die Insurgentenbanden in kleinere Haufen von 20—25 Mann, dislocirten sich in allen Kreisen und Wäldern, wo dies nur möglich war, und erhielten die ganze Bevölkerung in beständiger Furcht, indem sie an allen Orten sogenannte Hänge-Gensdarmen einsetzten, die über die öffentliche Meinung wachten und Diejenigen, welche sich regierungsfreundlich zeigten, in den Wäldern ergriffen und aufhängten, nachdem sie ihre Opfer (auch Weiber und Kinder) vorher noch auf alle mögliche Weise gemartert hatten.

Kleine Banden waren in den Wäldern schwer zu fangen, und so bot die veränderte Actionsweise der Insurgenten unserem Militär nicht geringe Schwierigkeiten. Inzwischen nahm der Terror immer größere Ausdehnung; überall war nur von gemarterten, getödteten, gehängten Personen die Rede, die ein Opfer der Rebellen geworden waren. Auch mehrere griechische Geistliche waren auf diese Weise um's Leben gebracht worden. Zur Vernichtung einer so furchtbaren Action der Insurgenten mußten ganz außerordentliche Maßnahmen ergriffen werden: die Hänge-Gensdarmen und die kleinen umherstreifenden Banden, welche bei Gutsbesitzern und Priestern Obdach fanden und von ihnen versorgt wurden, mußten auf jede Weise beseitigt werden. Es blieb mir nur ein

Mittel übrig: den Befehl zu ertheilen, alle Guts-
höfe, wo die Rebellen ihre Unthaten verrichtet und
Hänge-Gensdarmen Zutritt gefunden hatten, bis auf
den Grund zu zerstören, die Bewohner derjenigen
Dörfer, welche den thätigsten Antheil am Aufstand genommen hatten, nach Sibirien überzusiedeln, die Mitglieder der Banden sofort nach ihrer Ergreifung an Ort
und Stelle dem Kriegsgericht zu übergeben und zu er-
schießen und überall da, wo keine Anzeige von der Ankunft der Räuber gemacht worden, von den Ansiedlungen
selbst und dem ganzen Umkreise von 10—15 Werst ganz
außerordentliche Contributionen zu erheben. Diese und
noch einige andere ähnliche Maßregeln setzten den Unthaten der Insurgenten bald ein Ziel, weil letztere sowohl
als auch die mit ihnen sympathisirenden Bewohner einsahen, daß die Regierung keinen Scherz verstehe und stärker
als die Rebellion sei.

Alles dieses veranlaßte bald auch die Glieder des
Adels in allen Gouvernements, Adressen mit der Bitte
um Gnade zu schreiben, weil sie hofften, auf diese Weise,
wenn auch in den Aufstand verwickelt, ohne Strafe zu
bleiben. Der Wilnasche Adel war der erste, der am
27. Juli 1863 eine Adresse beschloß: dieselbe war von
mehr als 200 Personen unterschrieben und wurde mir
von dem Adelsmarschall und einigen Deputirten übergeben. Ich war über diese neue Wandlung sehr erfreut;

denn sie bewies mir, daß die von mir ergriffenen Maßnahmen ihr Ziel erreicht hatten. Die Adresse wurde
überall publicirt, um auch in anderen Gouvernements
zur Nachahmung zu veranlassen. Bald begann man denn
auch in Grodno und Kowno an die Abfassung gleicher
Adressen zu denken.

Der revolutionäre Rzond ward durch diesen Erfolg
in Schrecken gesetzt und entschloß sich zu verzweifelten
Maßnahmen gegen die Obrigkeit des Landes.

VII.

Die Warschauer revolutionäre Regierung, welche den Aufstand in Litauen immer schwächer werden sah, begann bereits im Juli 1868 ihre Agenten nach Wilna zu senden, um die abnehmende revolutionäre Bewegung zu unterstützen; aber alle diese Agenten wurden von der bereits einigermaßen organisirten Polizei in Wilna ergriffen; indessen gelang es ihnen doch, Mitte Juli ein Commando von geheimen Mordgesellen zu formiren, welchen zur Pflicht gemacht worden war, den General-gouverneur, den Gouvernementsadelsmarschall und alle Diejenigen, welche am meisten gegen den Aufstand wirkten, zu tödten; aber diese Mordgesellen entschlossen sich aus Furcht zu gar nichts, während die Obrigkeit in der Zwischenzeit einige Nachrichten über sie erhielt und Maßnahmen zu ihrer Entdeckung traf.

Aus Warschau wurde schließlich zu energischem Vorgehen der bekannte Hänge-Gensdarm Benkowski gesandt, welcher mich und Domeiko ermorden sollte.

Am 27. Juli (dem Geburtstage der Kaiserin) schlich

sich Benkowski in die Vorhalle der Kathedrale ein, um mich zu ermorden; aber bei dem ungeheuren Zufluß von Beamten und Volk konnte er sich nicht nahe genug an mich herandrängen. — Am 29. Juli (zwei Tage nach Ueberreichung der erwähnten Adresse), um 9 Uhr Morgens, trat er in die Wohnung Domeiko's und brachte diesem sieben Dolchwunden bei; außerdem verwundete er einen dem Marschall zu Hilfe eilenden Mann und entfloh. Die Wunden Domeiko's waren schwer, aber nicht gefährlich. Der Rzond machte in der Stadt kund, daß Domeiko ermordet und bestraft worden sei für an der polnischen Sache begangenen Verrath, besonders aber für Abfassung der Adresse. Es ist zu bemerken, daß die Adresse von mir dem Kaiser übersandt worden war und ich gleichzeitig den Monarchen gebeten hatte, Domeiko eine Belohnung zu verleihen; am 29. telegraphirte ich dem Kaiser über den erwähnten Vorgang. — Inzwischen wurden alle nur möglichen Maßnahmen behufs Entdeckung des Mörders getroffen: überall wurden Haussuchungen veranstaltet, das Signalement des Mörders wurde veröffentlicht, an verdächtigen Orten wurden Wachen aufgestellt; besonders aber wurde die Aufsicht auf der Eisenbahn und auf allen zu ihr führenden Wegen verstärkt. Einer der Wilnaschen Mordgesellen (ein russischer Rechtgläubiger, Sohn eines entlassenen, mit einer Polin verheiratheten Soldaten) Miroschnikow verplapperte sich in seiner Prahlsucht über die Mörder; er wurde befragt, verdächtig, und, von Gewissensbissen gefoltert, gab er einen großen Theil der Hänge-Gensdarmen an und nannte den Namen des Mörders selbst — Benkowski. Letzterer wurde am 6. August auf der Eisenbahn ergriffen, als er im Begriff war, mit seinem Kameraden Tschaplinski nach Warschau abzureisen; er hatte sich verkleidet und die Haare gefärbt. Schon vorher waren in kurzer Zeit 10 Mordgesellen (alles Wilnasche Einwohner) verhaftet worden, welche den Alles leugnenden Benkowski erkannten. Letzterer war ein Barbier aus Warschau, der schon viele Verbrechen begangen hatte und durch seinen tollkühnen Charakter bekannt war. Benkowski, Tschaplinski und die Uebrigen wurden unverzüglich vom Kriegsgericht gerichtet: sieben wurden in Wilna gehängt, die Anderen (auch Miroschnikow, in Anerkennung seines Geständnisses) zur Zwangsarbeit verschickt.

Dieser letzte Versuch der Warschauer Revolutionäre zur Erregung von Aufruhr in Litauen wurde durch rasche und erfolgreiche Ermittelung der nach Wilna gesandten Bösewichter und durch deren Hinrichtung vereitelt, so daß die hauptsächlichsten revolutionären Acteure sich verbargen oder flüchteten, oder sich nur unter verschiedenen falschen Namen auf kurze Zeit in Wilna zeigten. Auch sie geriethen in Schrecken. Bald wurden in Wilna auch die übrigen Revolutionäre, wie Dalewski,

Gaszicz, Dormalowski (aus Posen) und Zdanowicz verhaftet und alle (mit Ausnahme von Gaszicz) hingerichtet.
Der revolutionäre Chef der Stadt Wilna, Malachowski,
(ein Offizier der Wegecommunicationen, der bei der Eisenbahn gedient hatte), flüchtete nach St.-Petersburg und von
dort über die Grenze; ein anderer wichtiger Revolutionär,
Dulorand (ebenfalls Eisenbahnbeamter), flüchtete nach
Warschau.

Nur ein einziger Verwegner, ein gewisser Kalinowski, blieb in der Eigenschaft eines Hauptchefs des
litauischen Rzonds in Wilna, wo er unter einem falschen Namen (Witold Witoszenecz) verborgen lebte; außerdem
einige minder wichtige Personen, welche, nachdem ihre Beziehungen zu den Minskischen und Kownoschen Revolutionären aufgedeckt worden, ebenfalls ergriffen wurden, so daß zu
Ende August außer Kalinowski sämmtliche Hauptführer
der Rebellion sich in Haft befanden.   In Kowno und
Grodno gelang in derselben erfolgreichen Weise die Entdeckung der revolutionären Organisation, alle Gefängnisse waren überfüllt, und es wurden auch die Verbindungen bloßgelegt, welche die Revolutionäre in Litauen
mit dem Königreiche und polnischen Agenten in Rußland
unterhalten hatten.   Nur im Gouvernement Minsk selbst
wurde keinerlei geheime Organisation ermittelt.

Um die revolutionäre Action im Kownoschen Gouvernement, das von fanatischen, unter dem Einfluß des

Bifchofs Wolontfchewski ftehenden Polen bewohnt war,
noch mehr zu fchwächen, mußte ich Maßregeln treffen,
um den genannten Würdenträger zu zwingen, daß er
mittelft Ermahnungen das Volk zur Niederlegung der
Waffen veranlaffe. Diefe Maßregel war von Erfolg
gekrönt und der hartnäckige Aufftand im Kownofchen
verminderte fich; nur ein Hauptführer, der Priefter
Mazkiewicz, ein außergewöhnlich gewandter, eifriger,
kluger und fanatifcher Mann, blieb noch dort. Er erfreute
fich großen Einfluffes beim Volke, bildete unaufhörlich
Banden und trat in verfchiedenen Gegenden des Gouvernements auf. Obgleich feine Banden von unferen
Truppen wiederholt auseinandergefprengt worden, fo ver-
ftand er es doch, fich felbft den Verfolgungen zu entziehen und neue Banden zu bilden. So ftrich er, nach
feiner Niederlage im Selenkowofchen Walde und an anderen
Orten des Ponewefchfchen Kreifes, im Auguft und September 1863, im Kownofchen umher und erregte überall
Aufruhr. Zu Ende November fand er keine Mittel mehr
zur Fortfetzung und Aufrechterhaltung der Rebellion
und entfchloß fich, in's Ausland zu gehen; aber er wurde
am Niemen von unferen Truppen ergriffen, mit feinem
Adjutanten und Rentmeifter nach Kowno transportirt
und dort gemäß kriegsgerichtlichem Urtheil erhängt.

Mit der Hinrichtung des Priefters Mazkiewicz hörte
der Aufftand im Kownofchen faft überall auf, es ver-

blieben nur noch einige unbedeutende umherstreifende Banden, welche in kurzer Zeit auch vernichtet wurden. Im Grodnoschen wurde ebenfalls Alles ruhig, und die Rebellion war zu Ende 1863 erloschen. Wenn auch im Minskischen keine neuen offenen Erscheinungen des Aufruhrs sich zeigten, so blieb der Keim dazu, Dank der unsinnigen dortigen Verwaltung und namentlich dem Gouverneur, unberührt. Obgleich der Adel im October 1863 eine Adresse beschlossen und stärker als Andere seine treu-unterthänigen Gefühle und seine Reue zum Ausdruck gebracht hatte, so blieben doch alle geheimen revolutionären Agitatoren an Ort und Stelle, um unzweifelhaft bei der ersten günstigen Gelegenheit die Rebellionsversuche zu erneuern.

Es muß bemerkt werden, daß der Adel im Minskschen Gouvernement mehr noch als der in den anderen der russischen Regierung abgeneigt war; er hatte in ständigen Beziehungen zum Adel in den südwestlichen Gouvernements gestanden und im October 1862 bei den Convents-wahlen ein Protokoll abgefaßt, laut welchem, nach dem Beispiel des Podolischen Gouvernements, eine allerunter-thänigste Adresse, wo gehörig, eingereicht werden sollte, in der um Vereinigung des Minskschen Gouvernements mit dem Königreich Polen petitionirt ward. Die Frech-heit dieser Herren ging so weit, daß sie eine Allerhöchste Verfügung, in welcher ihnen das Widergesetzliche ihres

Verfahrens auseinandergesetzt wurde, einfach in's Journal eintrugen, ohne ihren gefaßten Beschluß abzuändern, zu dem sie noch den Vermerk machten, daß sie ihn, zufolge Einsprache der höchsten Instanz, nicht in Erfüllung hätten bringen können.

Der aufsässige Geist des Minsk'schen Adels wuchs noch während der bewaffneten Insurrection im Jahre 1863; er vermochte aber nicht so viel Banden, wie die anderen Gouvernements, in's Leben zu rufen, weil es hier zu wenig Besitzlichkeiten der Schljächta gab und der größte Theil der Landbevölkerung der orthodoxen Kirche angehörte. Nichtsdestoweniger schweiften in den Wäldern, wo solches nur möglich war, besonders in den Kreisen Borisowsk und Igumen ansehnliche Banden umher, die sich mit den Complicen aus dem Grodno'schen Gouvernement vereinigten.

Nachdem ich die Entdeckung der heimlichen Verschwörung in den litauischen Gouvernements herbeigeführt hatte, entsandte ich eine besondere Untersuchungscommission nach Minsk, um dort die secrete Administration aufzuheben. In kurzer Zeit hatte der Präsident derselben, der Gensdarmen-Obrist Losew, die Hauptagenten im Minsk'schen und ihre Beziehungen zu den anderen Gouvernements, besonders zum Wilna'schen, ermittelt und die noch übrigen Wilna'schen Revolutionäre, darunter **Kalinowski**, den Organisator der Insurrection in

Litauen, dingfest gemacht, wonach alle revolutionären Ausbrüche ein Ende nahmen.

Von dem bewaffneten Aufstand im Mohilewschen will ich hier keine Details erwähnen, da dieser im höchsten Grade sinnlos war. Er brach am 17. April 1863 aus und hatte bereits im Mai desselben Jahres sein Ende erreicht; ohne daß das Militair half, unterdrückten ihn die orthodoxen Bauern: sie ergriffen in den Wäldern und auf den Gütern fast alle Pane, Gymnasiasten, Schljäch-tizen, die zu den Banden gehörten, von welchen nur ein Theil unter Führung des bekannten Topor (Obrist des Generalstabes Swirshdorsky) die Stadt Gorki plünderte und dann in's Minskische Gouvernement flüchtete, während Topor selbst in's Königreich Polen entkam, wo man ihn jedoch in der Folge ergriff und aufknüpfte. Bemerkens-werth ist, daß die Insurrection im Mohilewschen unter dem Vorwand, eine Elennthierjagd abzuhalten, in's Leben trat: an einem bestimmten, verabredeten Tage kam ein großer Theil der jungen Leute, unter ihnen die Führer des Aufstandes im Jagdcostüm, mit Fourage versehen, zusammen, wurde jedoch alsbald von den Bauern entwaffnet und gefangen genommen. — Der Minskische Gouvernements-Adelsmarschall, Fürst Ljubo-mirsky, war einer der bedeutendsten Geheimagenten und Führer, wobei er jedoch so vorsichtig zu Werke ging, daß man ihn vom juristischen Standpunkt aus schwer eines Vergehens überführen konnte; er wurde nur seines Amtes enthoben und unter Aufsicht der Polizei gestellt.

Als ich vor 37 Jahren als Gouverneur in Mohilew und als Vicegouverneur in Witebsk fungirte, waren diese beiden weißrussischen Gouvernements fast ganz russisch, und als im Jahre 1830 auf mein Gesuch Allerhöchst befohlen wurde, die Geschäftsführung nach dem litauischen Statut daselbst aufzuheben und überall sowohl in den Justizbehörden als auch in der Verwaltung die russische Sprache einzuführen, wurde dies nicht allein ohne Widerspruch angenommen, sondern es wurde noch eine Dankadresse für die Verleihung der die Gouvernements mit Rußland gleichstellenden Rechte votirt, und das alles geschah zu einer Zeit, wo der Aufstand in Warschau und in den litauischen Gouvernements in vollen Flammen war. In den weißrussischen Gouvernements fanden damals allein im Lepelschen Kreise des Witebskischen revolutionäre Kundgebungen statt. Im Jahre 1863 tobte hier aber die Empörung in vollen Flammen, und wenn auch nicht überall bewaffnete Banden auftauchten, weil es dazu an Mitteln gebrach und die orthodoxe Landbevölkerung dem entgegenwirkte, so proclamirten doch an allen Orten der Adel, die Schljächta und die Priester offen und ungescheut die polnische Herrschaft.

Daß es zu solchen Erscheinungen kommen konnte, ist den Männern zuzuschreiben, die seit 1831 an

denn sie bewies mir, daß die von mir ergriffenen Maßnahmen ihr Ziel erreicht hatten. Die Adresse wurde
überall publicirt, um auch in anderen Gouvernements
zur Nachahmung zu veranlassen. Bald begann man denn
auch in Grodno und Kowno an die Abfassung gleicher
Adressen zu denken.

Der revolutionäre Rzond ward durch diesen Erfolg
in Schrecken gesetzt und entschloß sich zu verzweifelten
Maßnahmen gegen die Obrigkeit des Landes.

VII.

Die Warschauer revolutionäre Regierung, welche den Aufstand in Litauen immer schwächer werden sah, begann bereits im Juli 1863 ihre Agenten nach Wilna zu senden, um die abnehmende revolutionäre Bewegung zu unterstützen; aber alle diese Agenten wurden von der bereits einigermaßen organisirten Polizei in Wilna ergriffen; indessen gelang es ihnen doch, Mitte Juli ein Commando von geheimen Mordgesellen zu formiren, welchen zur Pflicht gemacht worden war, den General-gouverneur, den Gouvernementsadelsmarschall und alle Diejenigen, welche am meisten gegen den Aufstand wirkten, zu tödten; aber diese Mordgesellen entschlossen sich aus Furcht zu gar nichts, während die Obrigkeit in der Zwischenzeit einige Nachrichten über sie erhielt und Maßnahmen zu ihrer Entdeckung trof.

Aus Warschau wurde schließlich zu energischem Vorgehen der bekannte Hänge-Gensdarm Benkowski gesandt, welcher mich und Domeiko ermorden sollte.

Am 27. Juli (dem Geburtstage der Kaiserin) schlich

sich Benkowski in die Vorhalle der Kathedrale ein, um mich zu ermorden; aber bei dem ungeheuren Zufluß von Beamten und Volk konnte er sich nicht nahe genug an mich herandrängen. — Am 29. Juli (zwei Tage nach Ueberreichung der erwähnten Adresse), um 9 Uhr Morgens, trat er in die Wohnung Domeiko's und brachte diesem sieben Dolchwunden bei; außerdem verwundete er einen dem Marschall zu Hilfe eilenden Mann und entfloh. Die Wunden Domeiko's waren schwer, aber nicht gefährlich. Der Rzond machte in der Stadt kund, daß Domeiko ermordet und bestraft worden sei für an der polnischen Sache begangenen Verrath, besonders aber für Abfassung der Adresse. Es ist zu bemerken, daß die Adresse von mir dem Kaiser übersandt worden war und ich gleichzeitig den Monarchen gebeten hatte, Domeiko eine Belohnung zu verleihen; am 29. telegraphirte ich dem Kaiser über den erwähnten Vorgang. — Inzwischen wurden alle nur möglichen Maßnahmen behufs Entdeckung des Mörders getroffen: überall wurden Haussuchungen veranstaltet, das Signalement des Mörders wurde veröffentlicht, an verdächtigen Orten wurden Wachen aufgestellt; besonders aber wurde die Aufsicht auf der Eisenbahn und auf allen zu ihr führenden Wegen verstärkt. Einer der Wilnaschen Mordgesellen (ein russischer Rechtgläubiger, Sohn eines entlassenen, mit einer Polin verheiratheten Soldaten) Miroschnikow verplapperte sich in seiner Prahlsucht über die Mörder; er wurde befragt, verdächtig, und, von Gewissensbissen gefoltert, gab er einen großen Theil der Hänge-Gensdarmen an und nannte den Namen des Mörders selbst — Benkowski. Letzterer wurde am 6. August auf der Eisenbahn ergriffen, als er im Begriff war, mit seinem Kameraden Tschaplinski nach Warschau abzureisen; er hatte sich verkleidet und die Haare gefärbt. Schon vorher waren in kurzer Zeit 10 Mordgesellen (alles Wilnasche Einwohner) verhaftet worden, welche den Alles leugnenden Benkowski erkannten. Letzterer war ein Barbier aus Warschau, der schon viele Verbrechen begangen hatte und durch seinen tollkühnen Charakter bekannt war. Benkowski, Tschaplinski und die Uebrigen wurden unverzüglich vom Kriegsgericht gerichtet: sieben wurden in Wilna gehängt, die Anderen (auch Miroschnikow, in Anerkennung seines Geständnisses) zur Zwangsarbeit verschickt.

Dieser letzte Versuch der Warschauer Revolutionäre zur Erregung von Aufruhr in Litauen wurde durch rasche und erfolgreiche Ermittelung der nach Wilna gesandten Bösewichter und durch deren Hinrichtung vereitelt, so daß die hauptsächlichsten revolutionären Acteure sich verbargen oder flüchteten, oder sich nur unter verschiedenen falschen Namen auf kurze Zeit in Wilna zeigten. Auch sie geriethen in Schrecken. Bald wurden in Wilna auch die übrigen Revolutionäre, wie Dalewski,

Gaszicz, Dormalowski (aus Pofen) und Zdanowicz verhaftet und alle (mit Ausnahme von Gaszicz) hingerichtet.
Der revolutionäre Chef der Stadt Wilna, Malachowski,
(ein Offizier der Wegecommunicationen, der bei der Eifen-
bahn gedient hatte), flüchtete nach St.-Petersburg und von
dort über die Grenze; ein anderer wichtiger Revolutionär,
Dulorand (ebenfalls Eisenbahnbeamter), flüchtete nach
Warschau.

Nur ein einziger Verwegner, ein gewisser Kalinowski, blieb in der Eigenschaft eines Hauptchefs des
litauischen Rzonds in Wilna, wo er unter einem falschen Namen (Witold Witoszenecz) verborgen lebte; außerdem
einige minder wichtige Personen, welche, nachdem ihre Beziehungen zu den Minskischen und Kownoschen Revolutionären aufgedeckt worden, ebenfalls ergriffen wurden, so daß zu
Ende August außer Kalinowski sämmtliche Hauptführer
der Rebellion sich in Haft befanden. In Kowno und
Grodno gelang in derselben erfolgreichen Weise die Entdeckung der revolutionären Organisation, alle Gefängnisse waren überfüllt, und es wurden auch die Verbindungen bloßgelegt, welche die Revolutionäre in Litauen
mit dem Königreiche und polnischen Agenten in Rußland
unterhalten hatten. Nur im Gouvernement Minsk felbst
wurde keinerlei geheime Organisation ermittelt.

Um die revolutionäre Action im Kownoschen Gouvernement, das von fanatischen, unter dem Einfluß des

Bischofs Wolontschewski stehenden Polen bewohnt war, noch mehr zu schwächen, mußte ich Maßregeln treffen, um den genannten Würdenträger zu zwingen, daß er mittelst Ermahnungen das Volk zur Niederlegung der Waffen veranlasse. Diese Maßregel war von Erfolg gekrönt und der hartnäckige Aufstand im Kownoschen verminderte sich; nur ein Hauptführer, der Priester Matkiewicz, ein außergewöhnlich gewandter, eifriger, kluger und fanatischer Mann, blieb noch dort. Er erfreute sich großen Einflusses beim Volke, bildete unaufhörlich Banden und trat in verschiedenen Gegenden des Gouvernements auf. Obgleich seine Banden von unseren Truppen wiederholt auseinandergesprengt worden, so verstand er es doch, sich selbst den Verfolgungen zu entziehen und neue Banden zu bilden. So strich er, nach seiner Niederlage im Selenkowschen Walde und an anderen Orten des Poneweschschen Kreises, im August und September 1863, im Kownoschen umher und erregte überall Aufruhr. Zu Ende November fand er keine Mittel mehr zur Fortsetzung und Aufrechterhaltung der Rebellion und entschloß sich, in's Ausland zu gehen; aber er wurde am Niemen von unseren Truppen ergriffen, mit seinem Adjutanten und Rentmeister nach Kowno transportirt und dort gemäß kriegsgerichtlichem Urtheil erhängt.

Mit der Hinrichtung des Priesters Matkiewicz hörte der Aufstand im Kownoschen fast überall auf, es verblieben nur noch einige unbedeutende umherstreifende Banden, welche in kurzer Zeit auch vernichtet wurden. Im Grodnoschen wurde ebenfalls Alles ruhig, und die Rebellion war zu Ende 1863 erloschen. Wenn auch im Minskischen keine neuen offenen Erscheinungen des Aufruhrs sich zeigten, so blieb der Keim dazu, Dank der unsinnigen dortigen Verwaltung und namentlich dem Gouverneur, unberührt. Obgleich der Adel im October 1863 eine Adresse beschlossen und stärker als Andere seine treu- unterthänigen Gefühle und seine Reue zum Ausdruck gebracht hatte, so blieben doch alle geheimen revolutionären Agitatoren an Ort und Stelle, um unzweifelhaft bei der ersten günstigen Gelegenheit die Rebellionsversuche zu erneuern.

Es muß bemerkt werden, daß der Adel im Minskschen Gouvernement mehr noch als der in den anderen der russischen Regierung abgeneigt war; er hatte in ständigen Beziehungen zum Adel in den südwestlichen Gouverne- ments gestanden und im October 1862 bei den Convents- wahlen ein Protokoll abgefaßt, laut welchem, nach dem Beispiel des Podolischen Gouvernements, eine allerunter- thänigste Adresse, wo gehörig, eingereicht werden sollte, in der um Vereinigung des Minskschen Gouvernements mit dem Königreich Polen petitionirt ward. Die Frech- heit dieser Herren ging so weit, daß sie eine Allerhöchste Verfügung, in welcher ihnen das Widergesetzliche ihres

Verfahrens auseinandergesetzt wurde, einfach in's Journal eintrugen, ohne ihren gefaßten Beschluß abzuändern, zu dem sie noch den Vermerk machten, daß sie ihn, zufolge Einsprache der höchsten Instanz, nicht in Erfüllung hätten bringen können.

Der aufsässige Geist des Minsk'schen Adels wuchs noch während der bewaffneten Insurrection im Jahre 1863; er vermochte aber nicht so viel Banden, wie die anderen Gouvernements, in's Leben zu rufen, weil es hier zu wenig Besitzlichkeiten der Schljächta gab und der größte Theil der Landbevölkerung der orthodoxen Kirche angehörte. Nichtsdestoweniger schweiften in den Wäldern, wo solches nur möglich war, besonders in den Kreisen Borisowsk und Igumen ansehnliche Banden umher, die sich mit den Complicen aus dem Grodno'schen Gouvernement vereinigten.

Nachdem ich die Entdeckung der heimlichen Verschwörung in den litauischen Gouvernements herbeigeführt hatte, entsandte ich eine besondere Untersuchungscommission nach Minsk, um dort die secrete Administration aufzuheben. In kurzer Zeit hatte der Präsident derselben, der Gensdarmen-Obrist Losew, die Hauptagenten im Minsk'schen und ihre Beziehungen zu den anderen Gouvernements, besonders zum Wilna'schen, ermittelt und die noch übrigen Wilna'schen Revolutionäre, darunter **Kalinowski**, den Organisator der Insurrection in

Litauen, dingfest gemacht, wonach alle revolutionären
Ausbrüche ein Ende nahmen.

Von dem bewaffneten Aufstand im Mohilewschen
will ich hier keine Details erwähnen, da dieser im höchsten
Grade sinnlos war. Er brach am 17. April 1863 aus
und hatte bereits im Mai desselben Jahres sein Ende
erreicht; ohne daß das Militair half, unterdrückten ihn
die orthodoxen Bauern: sie ergriffen in den Wäldern und
auf den Gütern fast alle Pane, Gymnasiasten, Schljäch-
tizen, die zu den Banden gehörten, von welchen nur ein
Theil unter Führung des bekannten Topor (Obrist des
Generalstabes Swirshborsky) die Stadt Gorki plünderte
und dann in's Minsksche Gouvernement flüchtete, während
Topor selbst in's Königreich Polen entkam, wo man ihn
jedoch in der Folge ergriff und aufknüpfte. Bemerkenswerth ist, daß die Insurrection im Mohilewschen unter
dem Vorwand, eine Elennthierjagd abzuhalten, in's Leben
trat: an einem bestimmten, verabredeten Tage kam
ein großer Theil der jungen Leute, unter ihnen die
Führer des Aufstandes im Jagdcostüm, mit Fourage
versehen, zusammen, wurde jedoch alsbald von den
Bauern entwaffnet und gefangen genommen. — Der
Minsksche Gouvernements-Adelsmarschall, Fürst Ljubo-
mirsky, war einer der bedeutendsten Geheimagenten und
Führer, wobei er jedoch so vorsichtig zu Werke ging,
daß man ihn vom juristischen Standpunkt aus schwer

eines Vergehens überführen konnte; er wurde nur seines Amtes enthoben und unter Aufsicht der Polizei gestellt.

Als ich vor 37 Jahren als Gouverneur in Mohilew und als Vicegouverneur in Witebsk fungirte, waren diese beiden weißrussischen Gouvernements fast ganz russisch, und als im Jahre 1830 auf mein Gesuch Allerhöchst befohlen wurde, die Geschäftsführung nach dem litauischen Statut daselbst aufzuheben und überall sowohl in den Justizbehörden als auch in der Verwaltung die russische Sprache einzuführen, wurde dies nicht allein ohne Widerspruch angenommen, sondern es wurde noch eine Dankadresse für die Verleihung der die Gouvernements mit Rußland gleichstellenden Rechte votirt, und das alles geschah zu einer Zeit, wo der Aufstand in Warschau und in den litauischen Gouvernements in vollen Flammen war. In den weißrussischen Gouvernements fanden damals allein im Lepelschen Kreise des Witebskischen revolutionäre Kundgebungen statt. Im Jahre 1863 tobte hier aber die Empörung in vollen Flammen, und wenn auch nicht überall bewaffnete Banden auftauchten, weil es dazu an Mitteln gebrach und die orthodoxe Landbevölkerung dem entgegenwirkte, so proclamirten doch an allen Orten der Adel, die Schljächta und die Priester offen und ungescheut die polnische Herrschaft.

Daß es zu solchen Erscheinungen kommen konnte, ist den Männern zuzuschreiben, die seit 1831 an der Spitze der Oberverwaltung des Landes standen, ihrem Mangel an Verständniß für polnische Tendenzen, ihrer Unkenntniß der Geschichte dieses uralten russischen Landes ꝛc. Vor allen haben der Macht Rußlands den größten Schaden zugefügt: Fürst Chowanski, Generaladjutant Djakow, Fürst Golizyn, Fürst Dolgorukow, J. G. Bibikow und Generaladjutant Nasimow. Jetzt (1866) ist, Gott sei Dank, Alles an den Tag gekommen, der Aufstand niedergeworfen und die Rebellion und Verschwörung gegen die Regierung nach allen Richtungen aufgedeckt, nicht ausgeschlossen den St.-Petersburger polnischen Rzond unter der Leitung Ogryzko's, Jundzill's, Sjerakowski's u. A. Jetzt bleibt der Regierung nur übrig, von der schweren Lection Nutzen zu ziehen und der polnischen Rebellion im westlichen Gebiet ein Ende zu machen, indem dies Land definitiv als russisches anerkannt wird, nicht durch Waffengewalt, sondern durch die moralische Wiedergeburt der lange unterdrückten uralten russischen Elemente!

VIII.

Während der Zeit, als ich die Maßregeln zur Unterwerfung des Aufstandes von 1863 in den mir unterstellten Gouvernements ergriff, geruhte der Kaiser, wie bereits erwähnt, das Gouvernement Augustowo meiner Obhut anzuvertrauen, in welchem bis dahin die Insurgenten nach eigener Willkür geschaltet hatten. Dort war auch in den Städten eine ganze Division bislocirt, vermochte jedoch nicht ohne Mitwirkung der Civilautoritäten zur Niederwerfung der Insurgenten vernünftige Schritte zu thun. Die Warschauer Regierung that nicht nur nichts, sondern schaute auch unter der Leitung Wielopolski's gleichgiltig allen Ausschreitungen zu, welche sich die Revolutionäre im Lande erlaubten.

Als ich im September 1863 den Allerhöchsten Befehl in Betreff des Augustowoschen Gouvernements erhielt, sandte ich dorthin Truppen unter dem Befehl des Generals Baklanow, welchen ich damit beauftragte, unverzüglich die Militär-Civilverwaltung gemäß der von mir am 24. Mai erlassenen Instruction einzuführen. Das

Preobraſchenſki = Regiment, unter dem Commando des
Fürſten Barätinſki, beſetzte die hauptſächlichſten Punkte
des Gouvernements, und es vergingen keine drei Wochen,
ſo war der Aufſtand unterdrückt; nur im Lomſhaſchen
Kreiſe trieben noch einige Banden ihr Unweſen, wobei
ſie Succurs aus den anderen Gouvernements des Königreichs erhielten, in Folge deſſen ich mich genöthigt ſah,
einige Punkte im benachbarten Oſtrolenkaſchen Kreiſe des
Gouvernements Plotzk zu beſetzen.

Nach Maßgabe der allmählichen Unterdrückung des
Aufſtandes in den nordweſtlichen Gouvernements traf ich
Anſtalten zur Sicherſtellung der Landbevölkerung und
zum Schutze derſelben gegen Gewaltthätigkeit der Pane.
Schwer genug war es, dieſes zu erreichen, da großer
Mangel an zuverläſſigen Perſonen herrſchte, denen man
dieſe wichtige Sache hätte übertragen können: alle Beamten, darunter auch die Friedensrichter, waren, wie
ſchon erwähnt, polniſcher Herkunſt; ein großer Theil derſelben war für die Betheiligung am Aufſtand arretirt,
oder wegen Unzuverläſſigkeit ihrer Aemter entſetzt worden; man mußte ſich beeilen, ſo raſch als möglich die
Polizei- und alle diejenigen Aemter mit Ruſſen zu beſetzen, die mit dem Volke, welches unſere Hauptſtütze
bildete, in unmittelbare Berührung kamen. Es war
nicht leicht, auf einmal das ganze Gebiet mit ruſſiſchen
Beamten auszuſtatten; ich hatte mich ſchon bei meiner

5*

Abreise aus St.-Petersburg an alle Gouvernementschefs mit der Bitte gewandt, mir zuverlässige Personen zuzuschicken, für welche ich beim Kaiser besondere Vorrechte und Unterstützungen ausgewirkt, und hatte auch den Minister des Innern ersucht, diese Angelegenheit fördern zu wollen. So erschienen denn auch immer mehr Beamte; aber leider entsprachen viele durchaus nicht den auf sie gesetzten Hoffnungen, namentlich diejenigen nicht, welche der Minister des Innern gesandt hatte, so daß ich gezwungen war, viele zurückzuschicken und die Besetzung der vacanten Aemter zu verzögern.

In der Ueberzeugung, daß die Hauptaufgabe für dieses Gebiet darin bestehe, die Existenz der Landbevölkerung zu sichern, die Macht der aufrührerischen Pane über dieselbe zu vernichten und das Volk der Regierung zu nähern, lenkte ich meine ganze Aufmerksamkeit darauf, Kenner von Agrarsachen aus Rußland kommen zu lassen. Vom August 1863 an wurden allmählich in den Kreisen, in welchen der Aufstand unterdrückt war, russische Friedensrichter und Glieder der Controlcommissionen eingesetzt, so daß zu Ende des Jahres in den meisten Kreisen russische Vertreter angestellt waren, welche denn auch eine Masse Mißbräuche und Unterdrückungen aufdeckten, unter denen das unglückliche russische Volk durch die polnischen Pane und die aus deren Mitte erwählten Richter zu leiden hatte.

Das Uebel war so groß, daß man es nicht ohne radicale Heilung lassen konnte und daß sogar die Instructionen, welche in Bauersachen für die westlichen Gouvernements gegeben waren, verbessert werden mußten; denn sie waren in St.-Petersburg theoretisch, bei völliger Unkenntniß der örtlichen Agrarverhältnisse, zusammengestellt worden und zwar nach Anweisung von Personen, welche als Experten aus der dortigen Gegend berufen waren, und welche alle Kräfte aufgeboten hatten, um die Regierung zu betrügen und die Bauern noch mehr zu unterjochen.

Bald mußte man sich überzeugen, daß die Bestätigung der Reglementsurkunden so, wie sie damals zusammengestellt waren, zum schleunigen Ruin der Bauern und zu deren Aufwiegelung gegen die Regierung führen mußte; dies war auch das Ziel der früheren polnischen Vertreter und der ganzen Schljächtizenverwaltung des Gebietes gewesen. Ich beschloß, den günstigen Augenblick zu benutzen (einerseits die Furcht unserer Regierung vor dem sich verbreitenden Aufstande, andererseits den Schrecken der Gutsbesitzer vor den strengen Maßregeln gegen die Rebellion, bei ihrer fast allgemeinen Betheiligung an derselben), um den gordischen Knoten, den verderblichen Einfluß der Pane auf die Landbevölkerung, zu durchhauen. Ich berief einige Friedensrichter und andere Vertreter, welche besser als Andere die Lage

der Bauern und ihr Verhältniß zu den Gutsbesitzern
kannten, zu einer Berathung, veröffentlichte im August
1863 eine Instruction für die Thätigkeit der Controlcommissionen und überließ es ihnen, die Reglementsurkunden, welche ungesetzlich waren, abzuändern und den
Bauern das ihnen in letzter Zeit (seit dem Jahre 1857)
genommene Land zurückzugeben, die landlosen Bauern
und Knechte sicherzustellen, ihnen in richtigem Maße
Heuschlag und Weiden zuzutheilen, sie nicht des Rechtes
zu berauben, gemeinschaftlich mit dem Gutsherrn das
Brennmaterial und die Viehweide zu benutzen, wobei
befohlen wurde, die Abgaben nach dem factischen Werthe
des Landstücks zu bestimmen und sich nur ja nicht durch
die früheren Zahlungen beeinflussen zu lassen. Alle diese
Maßregeln kamen sofort zur Ausführung; die Pane, wie
alle beim Aufstande Betheiligten, fügten sich widerspruchslos denselben, um so mehr, als viele von ihnen, welche
sich für den Aufstand interessirten, den Bauern im Anfange des Jahres 1863 erklärt hatten, daß ihnen unent-
geltlich Land gegeben werden würde, wenn sie sich am
Aufstande betheiligen wollten, und nun fürchteten, daß
die Regierung ihnen alles Land ohne jegliche Entschädigung
fortnehmen würde.

Den Gutsbesitzern sank der Muth, die Bauern dagegen lebten auf und fühlten neue Kraft in sich; gleichzeitig wurden Maßregeln zur Wiedereinsetzung der ortho-

doxen Kirche, zur Besserstellung der Geistlichkeit und zur Errichtung russischer Schulen getroffen. Um die Möglichkeit, daß sich zum Frühling in den ungeheuren Wäldern, welche noch immer die nordwestlichen Gouvernements bedecken, Insurgentenbanden auf's neue bildeten, vollständig zu vernichten, wurde befohlen, Wege zu den Stellen in den Wäldern auszuhauen, an denen sich ungehindert Banden verbergen könnten, und im Falle, daß die Gutsbesitzer diesem Befehle nicht nachkämen, sollten auf besondere Ordre der Obrigkeit die betreffenden Arbeiten von den Bauern ausgeführt werden. Ein großer Theil der Durchhaue wurde von diesen letzteren gemacht, und durch diese Maßregel wurde gleichzeitig das Land vor neuen Aufständen bewahrt; die Bauern erhielten für ihre Mühe eine große Menge Holz und konnten im folgenden Jahre ihr dürftigen Hütten durch neue ersetzen.

Die Gutsbesitzer beruhigten sich an Ort und Stelle vollständig und murrten nur im Geheimen; aber in St.-Petersburg erhoben sie ein großes Klagegeschrei und fanden bei dem Minister des Innern und anderen Regierungspersonen Sympathie. Ungeachtet dessen beschloß ich, die begonnenen Maßregeln zu Ende zu führen; denn nur auf diese Weise konnte man unsere Herrschaft dort befestigen und die herrschende polnische Intelligenz unterdrücken, gegen welche auch schon die Bauern in ihrer

verbesserten Lage unter Mitwirkung der Regierung ankämpfen konnten.

Bei dem in St.-Petersburg erhobenen Proteste gegen
die von mir ergriffenen Maßregeln betheiligte sich auch in
starkem Maße die deutsche Partei, welche große Be-
sitzungen in mehreren Kreisen des Witebskischen und
ebenso in den nordwestlichen Kreisen des Kownoschen
Gouvernements besaß; die Deutschen verloren fast noch
mehr als die Polen, da sie noch mehr die Bauern unterdrückten und auf ihren Gütern Knechtswirthschaft eingeführt, das heißt, den Bauern gar kein Land gelassen
hatten. Dieselben Maßregeln wurden von mir im Jahre
1863 im Gouvernement Augustowo ergriffen, wobei der
Befehl ertheilt wurde, allmählich die Verwaltung der
Gemeinden durch die Gutsbesitzer aufzuheben und an
Stelle letzterer Gemeindeälteste nach eigener Wahl der
Gemeinden einzusetzen; ebenso wurden, unabhängig von
den Gutsbesitzern, bäuerliche Gerichte eingeführt, welchen
gestattet wurde, in Sachen bis zu 100 Rubeln selbständig
zu entscheiden.

Allen diesen Maßregeln wurden ohne Widerrede
auch die Gutsbesitzer des Gouvernements Augustowo
unterworfen, und die Bauern lebten in kurzer Zeit so
sehr auf, daß sie begannen, selbst die Insurgenten ein-
zufangen und der Regierung zuzuführen. Dasselbe geschah auch in den nordwestlichen Gouvernements: von

allen Seiten wurden mir von Bauerndeputationen Dankadressen überreicht, überall wurden feierliche Dankgottes-
dienste für den Kaiser veranstaltet, der ihnen die Freiheit
geschenkt, Adressen wurden eingeschickt und Capellen und
Heiligenbilder auf den Namen Alexander Newski's gestiftet — mit einem Worte: die Feststimmung der Bauern,
welche sich ganz auf Seite der Regierung stellten und
aufrichtig dem Kaiser für die ihnen erwiesene Gnade
dankten, war allgemein. Das russische Element im
Lande erstarkte so, daß man überall russisch zu sprechen
begann und die rechtgläubigen Geistlichen, welche bei den
Priestern und Panen in sclavischer Unterjochung gestanden
hatten, ihre früheren Machthaber zu verachten anfingen;
den Gutsbesitzern aber begann offenbar der Muth zu
sinken, besonders als sie um die Mitte des Jahres 1863
mit einer Steuer im Betrage von 10 Procent der Ein-
nahmen ihrer Güter belastet wurden, welche übrigens
ohne Widerspruch und in kürzester Frist gezahlt und zur
Unterstützung der in's Land gekommenen russischen Beamten, zur Errichtung von Kirchen und zu anderen
Zwecken, von denen weiter unten die Rede sein wird,
verwandt wurde.

Gegen die Gesetzmäßigkeit der Besteuerung der Gutsbesitzer mittelst der 10 Procent-Steuer ist viel geredet
worden, namentlich in St.-Petersburg. Man klagte mich
der Ungleichmäßigkeit und des mangelnden Verhältnisses

in der Besteuerung an, und Niemand wollte begreifen, daß gerade in der Zeit, in welchem der Aufstand seinen höchsten Gipfel erreichte (im Juni und Juli 1863), es unmöglich war, in ein paar Wochen die Steuer vollkommen regelmäßig zu repartiren und die Einkünfte der Güter genau abzuschätzen; doch die Ansichten der höheren St.-Petersburger Sphären waren nun derart, daß sie, von der polnischen Partei angespornt, sich an die unsinnigsten Ideen klammerten, um mich anzuklagen und die von mir verordneten nothwendigen Maßregeln zu discreditiren; sie wollten nicht begreifen, daß echter und wahrer Patriotismus bei den Polen nicht existirt, daß in ihnen nur das Streben nach Willkür und nach Unterdrückung der niederen Klassen lebt, daß sie nur die Wiederherstellung der alten Rechte der polnischen Aristokratie anstrebten, um das Volk ganz auszupressen; und die polnische Intelligenz wie die polnischen Grundherren eiferten nicht so sehr gegen die strengen Maßnahmen, die zur Unterdrückung des Aufstandes ergriffen worden waren, als sie überlaut gegen den Schutz der Bauern vor den Gutsherren und gegen die Wiedergeburt ihrer moralischen Kraft ihre Pfeile richteten, indem sie die Handlungen der Verwaltung in dieser Beziehung als verderblich für die öffentliche Ordnung erklärten.

In St.-Petersburg behauptete man dasselbe; denn man begriff weder die Lage des Landes noch die Nothwendigkeit, in demselben das russische Element zu befestigen. Besonders der Minister des Innern und der Gensdarmeriechef (Fürst Wassily Andrejewitsch Dolgorukow) thaten alles Mögliche, um die Maßregeln zur Sicherstellung der Bauern zu hintertreiben, und bemühten sich, das Vertrauen des Kaisers zur örtlichen Verwaltung zu erschüttern (?), wobei sie zugleich bemüht waren, die Idee zu verbreiten, daß diese Maßregeln verderbliche Folgen für Rußland selbst haben müssen, und aus diesem Grunde gestattete der Minister des Innern während längerer Zeit nicht den obligatorischen Verkauf des Bauerlandes in den westlichen Gouvernements.

Die 10 Procent-Steuer nannten sie einen Raub und eine offenbare Ruinirung der Gutsbesitzer, ohne dabei in Erwägung zu ziehen, daß diese selben Gutsbesitzer den Rebellen Subsidien zahlten, welche die 10 Procent-Steuer um Bedeutendes überstiegen; sie wollten nicht begreifen, daß die Repartition nach Angabe der Gutsbesitzer selbst gemacht sei, d. h. daß die von denselben bei Zusammenstellung der Reglementsurkunden gemachte Preisangabe pro Deßätine zur Norm genommen war; auf diese Weise erlitten die Gutsbesitzer, welche bemüht gewesen waren, ihre Einkünfte auf Kosten der Bauern zu vermehren, bei Einführung der 10 Procent-Steuer schwere Verluste.

Die 10 Procent-Steuer bot, außer der Gesetzlichkeit

der Maßregel und der Art der Vertheilung, der Regierung noch den Hauptvortheil, daß sie den Gutsbesitzern die Möglichkeit nahm, ihre Einkünfte zur Unterstützung des Aufruhrs zu verwenden. Diese Maßregel in Verbindung mit der Erhebung von Strafgeldern für das Tragen von Trauer und andere revolutionäre Manifestationen, ebenso wie die Contribution für Unterstützung der Rebellen, übten den wohlthätigsten Einfluß auf das ganze Gebiet aus; denn die polnischen Pane, die Schljächta und die Priester wurden gezwungen, für alle ihre unsinnigen Anschläge theueres Geld zu zahlen; dem Polen aber kann durch nichts Anderes in seinem Wahn Halt geboten werden, als durch Geld; man muß, wie das Sprichwort sagt, ihm auf die Tasche klopfen; die verständigeren Polen gestehen dieses selbst zu. Mit Verringerung der Einkünfte verminderten sich auch die revolutionären Unternehmungen. Jeder war nur mit Erhaltung seiner Wirthschaft beschäftigt und fürchtete sich nur, neuen Strafen zu verfallen, und daher wurde Alles in kurzer Zeit im Lande ruhig.

Zu der Zahl der von mir zur definitiven Unterdrückung des Aufstandes und zur Gefangennahme einzelner, sich verbergender Rebellen ergriffenen Maßregeln gehörte auch die Bitte um die Allerhöchste Genehmigung dessen, daß im ganzen mir anvertrauten Lande in jedem einzelnen Kreise ein Commando von dreißig Gensdarmen unter Anführung eines Offiziers postirt werde. Die Commandos waren mit ausführlichen Instructionen versehen und waren in den Kreisen an besonderen Punkten bislocirt, um die Handlungen der Bewohner zu bewachen, und so wurden mit Hilfe der Truppen und des Kosakencommandos, die auch in den Kreisen vertheilt waren, in kürzester Zeit die letzten Reste der umherziehenden Insurgentenbanden vernichtet.

Diese Gensdarmencommandos säuberten auf solche Weise das ganze Gebiet von den letzten Resten des Aufstandes, so daß man schon im Jahre 1864 ungefährdet überallhin fahren konnte und alle friedlichen Bewohner den für sie und ihren Wohlstand so nothwendigen Schutz unserer Macht empfanden.

Die den Gensdarmencommandos gegebenen Instructionen wichen bedeutend von den sonst bei uns für die Gensdarmerie bestehenden Regeln ab: sie wurden der örtlichen Obrigkeit direct unterstellt, welche sie nach eigenem Gutdünken als höhere administrative Polizei verwandte; diese Commandos entsprachen den „maréchaussées“ in Frankreich. Die höhere Gensdarmerieverwaltung bemühte sich, sie zu verantwortungslosen Denuncianten zu machen; doch hierdurch wäre ihre verantwortliche administrative Thätigkeit vernichtet worden; daher ließ ich es, während ich das Gebiet verwaltete, nicht dahin kommen, und diese Commandos erwiesen sich

in der That der örtlichen Obrigkeit, welcher sie unterstellt waren, sehr nützlich. Unabhängig hiervon war in
allen Kreisen, von Mitte Juli 1863 an, eine bewaffnete
Landwache unter Anführung von zuverlässigen Unter-
offizieren, welche sie selbst formirt hatten, eingerichtet.
Diese Wache bestand in einigen Kreisen aus 1000 bis
2000 Mann, beschützte die Dörfer, säuberte gemeinschaftlich mit den Soldaten die Wälder von Insurgenten und
hielt die aufrührerischen Pane, welche mit einer besonderen Abgabe zum Unterhalte derselben besteuert wurden,
in Furcht und Schrecken; jeder zu dieser Wache Gehörende
erhielt 10 Kopeken täglich außer der Beköstigung; im
Ganzen kostete der Unterhalt dieser Wache dem polnischen
Adel der sechs nordwestlichen Gouvernements mehr als
800,000 Rubel. Der Adel mußte auch eine Zahlung
für alle, durch die Insurgenten verursachten Schäden,
sowohl an Krons- als auch an Privateigenthum (d. h. der
Priester, Bauern 2c.) leisten. Durch diese Maßregeln und
durch die 10 Procent-Steuer wurden die besten Resultate
erzielt. Auf Kosten der Gutsbesitzer wurde die ganze
Strecke der Eisenbahn bewacht, die Wälder der Umgegend
gesäubert, Baracken für das Militär, die ganze Bahn-
linie entlang, gebaut, — mit einem Worte, sie bezahlten
ihren Unverstand reichlich mit Geld, der besonderen
Strafen gar nicht zu gedenken.

IX.

Im November 1863 hörten die militärischen Opera-
tionen fast überall auf, so daß man im December die erste
Gardedivision nach St.-Petersburg zurückschicken konnte,
welche der Regierung bei Unterdrückung des Aufstandes
(ebenso wie früher die zweite Division) viele Dienste geleistet hatte; zu der Zeit verminderte sich überall die
Zahl der Verhaftungen, und nur die kriegsgerichtlichen
und Untersuchungscommissionen waren sehr beschäftigt,
in den Gefängnissen, welche von Leuten, die am Aufstande
theilgenommen hatten, überfüllt waren, so rasch als
möglich aufzuräumen. Da der Aufstand überall gedämpft war, so hielt ich es für möglich, die Strafen zu
lindern, indem ich gestattete, die Leute aus dem Volke,
welche zu den Insurgentenbanden gehört hatten, dieses
jetzt aber aufrichtig bereuten, von jeder Strafe zu befreien und sie gegen Bürgschaft der Gemeinde auszu-
liefern; auf diese Weise wurden im Laufe der Jahre
1863 und 1864 mehr als 4000 den verschiedensten Ständen angehörende Personen, welche bei der Insurrection

betheiligt gewesen waren, gegen Bürgschaft freigegeben
und unter polizeiliche Aufsicht gestellt; außerdem wurde
eine gleiche Anzahl von Personen, welche freiwillig die
Insurgentenbanden verlassen hatten, wieder an ihren
früheren Wohnort entlassen; die Zahl der Personen, welche
zu verschiedenen Strafen verurtheilt wurden (sowohl derjenigen, welche verschickt wurden, als auch derjenigen,
welche am Orte blieben), habe ich seinerzeit genau in
einer Tabelle für den Minister des Innern, zur Unterlegung an den Kaiser, angegeben.

Aus dieser Zusammenstellung ist ersichtlich, wie sehr
die Gerüchte die als ungeheuer angegebene Zahl der
Opfer der grausamen Verwaltung des nordwestlichen
Gebietes vergrößert haben. Schwerlich hätte jemals ein
Aufstand, welcher sich über alle sechs nordwestliche Gouvernements (mit einer Bevölkerung von 6,000,000 Menschen) ausgebreitet hatte, mit weniger Opfern unterdrückt
werden können; alle früheren Revolutionen in Europa
sowie der Aufstand in den englischen Colonieen haben
sehr viel mehr Opfer gefordert, als der Aufstand in den
westlichen Gouvernements — denn die Oberbefehlshaber
dieses Gebietes trugen Sorge, daß durch die Einsetzung
einer verantwortlichen und geregelten Administration die
Macht der Regierung wiederhergestellt wurde, und nur
durch Vollstreckung der Todesstrafe an den Hauptführern
des Aufstandes und besonders an Personen, welche

geradezu die Mißhandlung des schutzlosen Volkes anbe-
fohlen hatten, mußte man dem Terror Einhalt thun,
welchen diese überall verbreiteten. Hier handelte es sich
nicht allein um strenge Strafen — denn deren wurden nur
sehr wenige vollzogen —, sondern um sämmtliche zur
Unterdrückung des Aufstandes und zur Vorbeugung gegen
alle sich beständig ändernden Angriffsweisen der Insurgenten ergriffenen Maßregeln; hierin hauptsächlich bestand das Verdienst der Verwaltung und der Erfolg
ihrer Unternehmungen; der Aufstand erlosch von
selbst, nur weil er bei allen seinen Anschlägen
rechtzeitig auf Widerstand seitens der Regierung
stieß; die unsinnigen polnischen Köpfe ernüchterten sich,
und Alles wurde ruhig im Lande, als sie zur Ueberzeugung gelangten, daß die Macht der Regierung wiederhergestellt sei, und daß sie unentwegt ihrem Ziele ent-
gegengehe, ohne sich durch die, ihr überall in den Weg
gestellten Hindernisse aufhalten zu lassen.

Der Aufstand war unterdrückt, und die Intriguen der
St.-Petersburger und Warschauer Revolutionäre konnten
das System der Handlungsweise der Oberbefehlshaber
des westlichen Gebietes nicht mehr bekämpfen und stürzen.

St.-Petersburg, 4. April 1866.

———

Dictator von Wilna. 6

Zweites Capitel.

I.

Ich habe in Kürze eine allgemeine Uebersicht über den Gang der Insurrection und die Unterdrückung derselben in den nordwestlichen Gouvernements sowie in dem zeitweilig zu meiner Verwaltung hingezogenen Augustowoschen Gouvernement gegeben. Aus dieser Darstellung sind alle localen Schwierigkeiten und insbesondere die Entfaltung der Organisation des Aufruhrs im ganzen Gebiete selbst ersichtlich, welcher von der polnischen Emigration im Auslande unterstützt und durch den revolutionären Rzond in Warschau sowie durch die Ausbreitung des allgemeinen Aufruhrs im ganzen Königreich Polen und durch die Agenten in Rußland, namentlich in St.-Petersburg, aufgemuntert wurde.

Der Einfluß der revolutionären Partei im Auslande nahm die europäischen Großmächte Frankreich, England, Oesterreich gegen uns ein; unsere diplomatischen

Beziehungen blieben erfolglos, und unsere Nachgiebigkeit
erzeugte bei den Rebellen noch größeres Selbstvertrauen.
Sie hofften fest auf die Hilfe Englands und Frankreichs.
Alle mit Erfolg ergriffenen Maßregeln fanden den
größten Widerstand, weniger in materieller als in moralischer Beziehung, durch die Hoffnung, daß die Westmächte die St.-Petersburger Regierung zwingen würden,
auf die Forderungen der Polen einzugehen und die Nothwendigkeit einer Wiederherstellung Polens anzuerkennen.

Diese Hoffnungen wuchsen noch angesichts der Un-
thätigkeit der Verwaltung des Königreichs Polen und
der offenen Sympathie, die der Aufruhr bei der Partei
der sogenannten „Weißen" unter der geheimen Führung
des Marquis Wielopolski fand.

Die Revolutionäre in den westlichen Gouvernements
erwarteten, daß französische Truppen in Kurland und
an der Grenze des Kownoschen Gouvernements landen
würden. Diese Hoffnungen verwandelten sich bei dem
Leichtsinn der Polen schnell in zweifellose Gewißheit,
und keine Vorstellungen konnten sie vom Gegentheil
überzeugen; unterdessen schwankte unsere St.-Petersburger
Regierung selbst und entschloß sich erst dann, selbständig
ein Wort zur Vertheidigung der Interessen Rußlands
zu sprechen, als durch die von mir ergriffenen energischen Maßregeln der Aufstand in den nordwestlichen
Gouvernements offenbar schwächer wurde, so daß Mitte

6*

— 84 —

Juli 1863 unfer Minifter des Auswärtigen, Fürft Gortſchakow, der von der einen Seite das in Rußland allgemein erregte Gefühl der Beleidigung der Nation und des Patriotismus und von der anderen Seite den ſchon bedeutend niedergeworfenen Aufftand in den nordweſtlichen Gouvernements ſah,. ſich entſchloß, in energiſchen Noten alle unverſchämten Forderungen der Weſtmächte und der polniſchen Emigration im Auslande, welche ſich zu einer quaſi-offiziellen Macht erhoben und faſt von den auswärtigen Mächten dafür anerkannt wurde, zurückzuweiſen.

Nach Veröffentlichung der entſchiedenen kategoriſchen Kundgebung des Fürſten Gortſchakow gegen die Weſtmächte begannen auch die Hoffnungen der Revolutionäre zu ſinken, ſo daß bereits im Auguſt 1863, wie ſchon geſagt, die zur Dämpfung des Aufftandes ergriffenen Maßregeln vollen Erfolg ernteten.

Die Sympathie Rußlands für die von der Regierung und von mir in den weſtlichen Provinzen ergriffenen Maßregeln machte den Erfolg der in Angriff genommenen Neubelebung der ruſſiſchen Nationalität in den nordweſtlichen Gouvernements vollſtändig. Alle langjährigen polniſchen Ränke, Intriguen und feindſeligen Handlungen gegen Rußland wurden aufgedeckt. Rußland trat ein für ſein altes Eigenthum, welches im Laufe der Jahre zu polniſchen Provinzen geworden war.

Die Sympathie Rußlands für die heilige Sache der Wiederherstellung der orthodoxen Kirche und der russischen Nationalität im nordwestlichen Gebiete war so groß und allgemein, daß ich aus allen Gegenden unseres großen Vaterlandes von der Geistlichkeit, dem Adel, den Stadt- und Landbewohnern Dankadressen für die erfolgreiche Bekämpfung des Aufstandes erhielt; außer den Adressen wurden mir Heiligenbilder zugesandt, und alles dies gab mir moralische, und ich kann sogar sagen, physische Kräfte zur Ueberwindung aller Schwierigkeiten an Ort und Stelle und zum Kampfe mit einigen Personen aus den Regierungskreisen, welche den zur Dämpfung des Aufruhrs ergriffenen Maßregeln keine Sympathie entgegentrugen.

Es ist bemerkenswerth, daß ich fast täglich zu dieser Zeit, d. h. während der Aufruhr auf seinem Höhepunkt stand, anonyme Schmähbriefe aus allen Gegenden Europa's und in allen Sprachen erhielt; diese Briefe enthielten außer Drohungen, mich durch Dolch oder Gift zu ermorden, Prophezeiungen, daß die von mir ergriffenen Maßregeln mißglücken würden: denn ganz Europa stehe auf Seite der Polen, und Rußland sei nicht mächtig genug, sich den westlichen Mächten zu widersetzen. Unter diesen sinnlosen Episteln waren einige überaus bemerkens- werthe; so beschworen mich Einige im Namen der Religion, die Polen in Frieden zu lassen; Andere, schein- bar aus Freundschaft, baten um dasselbe; Einige forderten mich zum Zweikampf heraus und drohten mit Ermordung durch die nach Wilna geschickten geheimen Agenten, solcher Briefe empfing ich über 100 mit verschiedenen Caricaturen, Schmähungen, Galgen, Schaffots und dergleichen.

Diese Sendschreiben sollten mich einschüchtern; denn die Revolutionäre sahen, daß in Folge der von mir ergriffenen Maßregeln der Aufstand zu erlöschen begann, und diese Drohungen wiederholten sich bis zum September und October 1863, d. h. bis die betreffenden Personen das Zwecklose ihrer Anschläge einsahen und sich eingestehen mußten, daß der Aufstand in dem nordwestlichen Gebiete bis auf den Grund unterdrückt sei. Die Sammlung dieser Schmäh- und Drohbriefe habe ich als historische Zeugnisse des moralischen Druckes Europa's aufbewahrt, welcher jedoch auf mich eine dem Zwecke entgegengesetzte Wirkung ausübte: er erweckte in mir noch größere Energie, und bei der fast täglich sich äußernden Sympathie unseres orthodoxen Rußlands und mit Gottes Hilfe gelang es mir, in kurzer Zeit die Rebellion zu unterdrücken und unserer Regierung die Möglichkeit zu bieten, mit größerer Selbständigkeit zu handeln; denn sie gewann die Ueberzeugung, daß der Aufruhr im Königreich Polen ebenso rasch gedämpft werden könne, wenn die örtliche Verwaltung demselben Systeme folgen und dieselben Maßregeln ergreifen würde, welche ich in dem nordwestlichen Gebiete angewandt hatte.

Schon Mitte August 1863 wurde der Allerhöchste Befehl gegeben, bei Verwaltung des Königreichs Polen nach Möglichkeit denselben Regeln zu folgen, welche ich im nordwestlichen Gebiete in Anwendung gebracht hatte.

In den ersten Tagen des September 1863 übernahm Graf Berg die Verwaltung des Königreichs; der Marquis Wielopolski wurde seiner Aemter enthoben und reiste in's Ausland. Mit diesem Personalwechsel in der Oberverwaltung des Königreichs Polen änderte sich auch das Verwaltungssystem; Graf Berg nahm fast widerspruchslos mein gegen den Aufstand angewandtes System an, und mit seiner Zustimmung und Allerhöchster Bewilligung wurde der Lomshasche Kreis meiner Verwaltung unterstellt, welcher mehr als alle anderen den Insurgenten zu Sammelplätzen diente; aber es gelang, auch diesen Kreis, Dank der von mir ergriffenen strengen Maßnahmen, bald zur Ruhe zu bringen.

Mit der Abreise Wielopolski's aus dem Königreich und mit der Ergreifung energischer Maßregeln gegen den Aufstand fing dieser bald an, allmählich zu erlöschen; doch dauerte er noch bis zum Ende des Jahres 1864, und ich war gezwungen, verschiedene Maßregeln zu ergreifen, damit nicht Insurgentenbanden aus dem Königreich Polen in das meiner Obhut anvertraute Gebiet eindringen konnten.

II.

Die moralische Stimmung des ganzen Gebietes ist schon aus dem Gesagten erkenntlich. Empörung und Aufruhr war überall durch die Thätigkeit der polnischen Propaganda während der letzten zehn Jahre verbreitet. Die im Jahre 1831 ertheilte Lehre hatte uns wenig Nutzen gebracht; die strengen Maßregeln, welche anfangs vom Kaiser Nikolai Pawlowitsch ergriffen worden, wurden immer mehr abgeschwächt und endlich, wenn auch nicht ganz aufgehoben, so doch gar nicht mehr zur Ausführung gebracht.

Im Jahre 1833 erschienen im westlichen Gebiete polnische Emissäre aus Paris, von der dort bestehenden Société des droits de l'homme gesandt; sie drangen bis in die Gouvernements Wilna und Grodno vor, unabhängig von der nicht geringen Zahl, welche sich in Polen selbst aufhielt. Damals war Fürst Nikolai Andrejewitsch Dolgorukow Generalgouverneur von Wilna.

Unter diesen Emissären befanden sich ein gewisser Szymanski, aus dem Grodnoschen Gouvernement gebürtig, ein aus Paris gekommener, dem Esamo-jedischen Regimente entlaufener Lieutenant Pischtschatowski und ein Gutsbesitzer aus dem Wollowyskischen Kreise, Wallowitsch, der ebenfalls aus Paris kam. Dank der von mir damals ergriffenen energischen Maßnahmen wurden sie bald verhaftet und mit ihnen über 200 Personen aus den verschiedensten Ständen, welche sie aufgenommen hatten und ihnen dabei behilflich gewesen waren, ihre aufrührerischen Anschläge zu verbreiten.

Im Grodnoschen Gouvernement hatte ich damals überall Feldpolizei-Verwaltungen eingerichtet, so daß diese aus Paris — mit dem Auftrage, einen allgemeinen Aufstand des ganzen Gebietes gegen die Regierung zu veranlassen, die russischen ortsobrigkeitlichen Personen zu tödten, die Kriegsvorräthe, Magazine und alles dasjenige zu vernichten, was zur Befestigung der russischen Macht in diesem Gebiete dienen konnte, — entsandten Emissäre nichts ausrichten konnten und selbst ergriffen wurden; nur einem von ihnen, Wallowitsch, gelang es, eine Bande von zwölf Mann zu sammeln und mit ihrer Hilfe in den Sslonimschen Wäldern die Geldpost zu überfallen; doch mißglückte der Anschlag, und sie konnten nichts erbeuten. Bald darauf wurde Wallowitsch mit seiner ganzen Bande ergriffen, vor das Kriegsgericht gestellt und in Grodno aufgehängt. Pischtschatowski wurde auch in Grodno durch das Kriegsgericht gerichtet und in

Bialystok, wo er größtentheils gewirkt hatte, erschossen.
Alle anderen arretirten Personen wurden vor eine Untersuchungscommission und ein Kriegsgericht gestellt; doch
wurden leider die Hauptschuldigen, die polnischen Aristokraten, obschon sie vollständig aller ihrer aufständischen
Anschläge überführt wurden, auf Anordnung des Generalgouverneurs, welcher unter dem Einflusse der Aristokratie
und der Frauen stand, befreit; einige arme und unbedeutende Schljächtizen, welche, nur durch glänzende Ver-
sprechungen bestochen, Werkzeuge in den Händen der
Aristokraten waren, wurden bestraft und in die inneren
Gouvernements oder nach Sibirien verschickt, so daß die
so glücklich aufgedeckten Verschwörungen für die Regierung
nicht die gewünschten Resultate hatten; im Gegentheil,
die polnische Aristokratie, die Geistlichkeit und die aus-
ländischen Emissäre gewannen die Ueberzeugung, daß man
durch Geld und schöne Frauen das Land nach eigenem
Gutdünken beherrschen und die Neigung unserer Regierungsbeamten gewinnen könne.

Die Folge aller dieser Ereignisse war allgemeine
Unzufriedenheit mit mir, weil ich die Interessen Rußlands vertrat und Empörung und Aufruhr streng verfolgte. Ueberall arbeiteten polnische Intriguen gegen
mich, und man bemühte sich nach Möglichkeit, alle im
Lande aufgedeckten Spuren des Aufstandes zu verwischen;
besonders unangenehm war den Polen die Wiederherstellung

der orthodoxen Kirche, so daß ich im Anfange des Jahres 1835 gezwungen war, das nordwestliche Gebiet zu verlassen, und, auf Wunsch des Kaisers Nikolai Pawlowitsch, als Kriegsgouverneur nach Kursk versetzt wurde, natürlich unter dem anständigen Vorwande, im Kurskschen Gouvernement, mit welchem der Kaiser, wegen der bei den Abelswahlen vorgefallenen Unruhen, unzufrieden war, Ordnung zu schaffen.

Oben war schon die Rede von dem Emissär Sczymanski, den ich ergreifen ließ. Er war einer der bemerkenswerthesten Agenten der polnischen Propaganda; aus Grodno gebürtig und dort erzogen, hatte er viele Bekannte und stand mit fast Allen in Verbindung, besonders mit der römisch-katholischen Geistlichkeit und mit den Schülern der weltlichen Lehranstalten, welche sich damals in den Klöstern befanden. Er hielt sich mehr als zehn Tage in Grodno auf, führte Nachts Schüler in die katholische Kirche, wo sie schwören mußten, sich am Aufstande zu betheiligen, versammelte Geistliche und Advocaten, veranstaltete in Grodno und auf den Gütern verschiedene politische Zusammenkünfte, besonders unter Betheiligung der Frauen, versuchte einige Mal mich im Stadtgarten zu ermorden, wurde aber endlich ergriffen, als er, mit einem für mich bestimmten Dolche und einer Pistole, mich auf der Fahrt nach Wilna bei der Brücke erwartete. (Sczymanski stand in naher Beziehung zu dem Pensionshalter Fishan, dessen Kinder im Jahre 1863 bei Verschwörungen betheiligt waren.) Wie selbstbewußt Sczymanski auftrat, solange seine Thätigkeit von Erfolg begleitet war, so niedrig und kriechend war er dagegen während der Untersuchung. Er wurde von dem Generalgouverneur nach Wilna gefordert. Fürst Dolgorukow, welcher mit der Aufdeckung von Verschwörungen und dem Ergreifen der Emissäre prahlen wollte, schlug dem damaligen Kriegsminister, Fürsten Tschernyschew, vor, Sczymanski, welcher ihm, Dolgorukow, versprochen habe, die in Paris befindlichen Hauptagenten des Aufstandes zu verrathen, nach St.-Petersburg kommen zu lassen.

Sczymanski, der, genau genommen, ein höchst unbedeutender, doch gewandter Mensch war, wurde nach St.-Petersburg in die Festung gebracht. Die Fürsten Dolgorukow und Tschernyschew wollten dem Gefangenen eine besondere Bedeutung beilegen. Der Kriegsminister begab sich selbst mit dem Chef der Gensdarmerie, Grafen Benkendorff, zu ihm in das Gefängniß zum Verhör; Sczymanski, durch das Zutrauen und die Freundlichkeit dieser höchsten Würdenträger ermuthigt, redete ihnen allerlei Fabelhaftes vor und gab ihnen sein Ehrenwort, in Paris zur Entdeckung der polnischen Revolutionäre beizutragen, wenn man ihm nur, nachdem man ihn in Freiheit gesetzt habe, gestatten würde, sich nach Paris zu

begeben, und ihn zu diesem Zwecke mit einigen Geldmitteln versehen würde. Beide Würdenträger erbaten
die Allerhöchste Genehmigung zur Befreiung Sczymanski's,
und er reiste triumphirend nach Paris ab, nachdem man
ihn noch mit Geld versehen hatte; doch kaum hatte er
unsere Grenze hinter sich, als er aus der ersten Stadt
dem Fürsten Tschernyschew einen dankbaren Schmähbrief
schrieb, in welchem er ihm die Niedrigkeit seiner Gesinnung und seine Dummheit, wie er von ihm, einem
Polen, erwarten konnte, daß er seinem Eide untreu werde
und die polnischen Interessen in russische Hände liefere,
vorhielt.

Auf gleiche Weise traten auf's neue in den Jahren
1839 und 1848 im westlichen Gebiete ausländische
Emissäre und geheime Gesellschaften im Interesse der
polnischen Propaganda auf, außer den in derselben Richtung, in allen Zweigen der inneren Verwaltung des
Gebietes beständig wirkenden. Die Oberverwaltenden
schienen dies jedoch gar nicht zu bemerken und unterstützten sie noch, indem sie das Land als ein polnisches
anerkannten und in ihm durchaus kein russisches Element
gelten lassen wollten; denn sie hatten nur den polnischen
Adel und die römisch-katholische Geistlichkeit im Auge.
Die russische orthodoxe Geistlichkeit wurde von ihnen
verachtet, und das russische Volk und die Kirche über-
sahen sie völlig.

Im Jahre 1839 kam in diesem Gebiete ein wichtiges Ereigniß zu Stande, die Vereinigung der unirten mit der orthodoxen Kirche. Diese Sache wurde seit dem Jahre 1828 von dem jetzt (1866) fungirenden Metropoliten von Litauen und Wilna, Joseph, welcher damals Präsident des griechisch-unirten Collegs in St.-Petersburg war, betrieben. Der Kaiser Nikolai Pawlowitsch genehmigte seinen Vorschlag, die unirte Kirche der rechtgläubigen einzuverleiben, und mit Hilfe des Grafen Bludow, welcher damals Director des Departements für fremde Confessionen war, wurde diese wichtige Sache in Angriff genommen.

Joseph, dessen Familienname Ssimaschko oder Ssemaschko war, wurde zum Bischof der unirten Kirche im Grodnoschen Gouvernement, mit dem Sitz in Shurawitschi, ernannt und erließ beim ersten Aufruf der Regierung eine Aufforderung an die unirte Geistlichkeit, zur Orthodoxie überzutreten; — außerdem wurden noch von der Regierung Maßregeln zur Verringerung des Einflusses der katholischen Geistlichkeit auf die Griechisch-Unirten ergriffen; während dieser seiner Thätigkeit trat er zu mir in nahe Beziehung (ich war von 1831—1835 Gouverneur von Grodno), und mit vereinten Kräften und administrativen Maßregeln wurden in den unirten Kirchen des Grodnoschen Gouvernements die alten Ikonostase, welche durch die Polen vernichtet waren, wiederhergestellt,

die orthodoxe Liturgie an Stelle der katholischen Ge-
bräuche wieder eingeführt, so daß schon in den Jahren
1833 und 1834 im Grodnoschen alt-orthodoxen Kloster
Kolosha, welches in ein unirtes umgewandelt war, nach
orthodoxem Ritus von einem Diakon aus unserer Kathedrale der Gottesdienst abgehalten wurde; das Volk ge-
wöhnte sich an den orthodoxen Gottesdienst in den
unirten Kirchen.

In Shurawitschi, wo sich ein griechisch-unirtes Consistorium und ein Seminar befanden, geschah bereits seit
dem Jahre 1834 des Papstes keinerlei Erwähnung mehr,
und Ssemaschko erhielt schon im Jahre 1835 fast von
allen Griechisch-Unirten des Grodnoschen Gouvernements
Reversale, daß sie damit einverstanden seien, zur Orthodoxie überzutreten. Nur ein Einziger, Michael Golubowitsch (jetzt, d. h. im Jahre 1866, Bischof von Minsk),
widersetzte sich seiner Forderung auf Anstiften der Katholiken. Ssemaschko wandte sich an mich, und bald fügte
sich Golubowitsch, welcher später einer der eifrigsten
Orthodoxen wurde. Ich will nicht von allen Hinder-
nissen sprechen, welche Ssemaschko bei seiner schweren
Arbeit in den Weg traten; die Katholiken und ganz besonders die unirten Klöster, welche mit sogenannten Ba-
silianern angefüllt waren, suchten ihm auf alle mögliche
Weise Schwierigkeiten zu bereiten.

Mehr als einmal kam Ssemaschko zu mir nach

Grodno und erzählte mir, wie traurig es ihn stimme, bei Ausführung dieser heiligen Sache überall auf Hindernisse zu stoßen. Unsere Regierung schwankte wie immer und richtete sich nach den Aeußerungen und Handlungen Europa's, und als es Zeit zum Handeln war, schob Graf Bludow die Ausführung auf und erweckte hierdurch bei denselben Uniaten, welche sich schon bereit erklärt hatten, zur Orthodoxie überzutreten, Mißtrauen zur Sache selbst, und Viele nahmen ihr gegebenes Versprechen zurück. Mehr als einmal verzweifelte Ssemaschko selbst an dem Erfolge seiner Sache und wollte sich in ein rechtgläubiges Kloster zurückziehen. Aber Gott unterstützte sichtbar die große und heilige Sache; mit Geduld und Ausdauer besiegte Ssemaschko alle Hindernisse, und im Jahre 1839, am 29. März, wurde feierlich die Vereinigung der unirten mit der orthodoxen Kirche publicirt; auf diese Weise vergrößerten mehr als 2,500,000 Personen beiderlei Geschlechts in den nordwestlichen Gouvernements die Zahl der Orthodoxen. Das Priesteramt versahen die früheren Uniaten, welche, obschon sie zur orthodoxen Kirche übergegangen, doch ihren Gewohnheiten und Sitten nach mehr Polen und Katholiken waren. Schwer genug wurde es Joseph, welcher mit der Vereinigung der Kirchen zum Metropoliten von Litauen ernannt wurde, die Angelegenheiten seiner neuen rechtgläubigen Heerde zu organisiren. Obschon der Kaiser ihm hierzu alle möglichen

Geldmittel gewährte, so war die Hauptsache doch die moralische Reorganisation der Geistlichkeit und die Befreiung der Bauern von dem Drucke und dem Joche der katholischen Pane, welche ihren Bauern nicht gestatteten, zur orthodoxen Kirche überzugehen.

Die moralische Umstimmung der Geistlichkeit forderte viel Zeit und materielle Hilfe, welche nicht vorhanden war, und daher verblieb sie in derselben Armuth und Abhängigkeit von den reichen Panen. Hierbei ist noch zu bemerken, daß die Oberverwaltenden des Gebietes der katholischen Geistlichkeit offenen Vorzug gaben und nicht nur den Metropoliten Joseph in seinem Unternehmen nicht förderten, sondern ihm sogar in Vielem entgegenwirkten. Bei einer so ungünstigen Lage der Dinge kann man sich nur wundern, daß der Metropolit Joseph an ihr festhielt. Die Regierung ist ihm allein für Durchführung dieser großen Sache verpflichtet, welche für die Zukunft eine sichere Grundlage zur Befestigung der russischen Nationalität in diesem Gebiete gelegt hat und der Landbevölkerung die Möglichkeit bot, gegen die Insurrection anzukämpfen.

Der Aufstand im Jahre 1863 setzte der ganzen Sache die Krone auf; denn die Bauern, welche durch das Manifest vom 19. Februar 1861 die Freiheit erhalten hatten, bekamen dieselbe factisch erst im Jahre 1863 und waren nun vollständig geschützt gegen das Joch und die

Plünderungen ihrer früheren Pane; sie fühlten die ganze Wichtigkeit ihrer Aufnahme in die orthodoxe Kirche und russische Nationalität und dienten der zukünftigen Entwickelung des russischen Elementes in diesem Gebiete, welches von der Orthodoxie untrennbar ist, zur festen Schutzwehr.

Die Regierung muß die Gewißheit erlangen, daß der ärgste Feind der russischen Nationalität in diesem Gebiete das Polenthum im Verein mit dem Katholicismus ist — denn nach den Begriffen des Volkes ist Katholik und Pole gleichbedeutend — und daher muß die Schwächung des Einflusses des Katholicismus dort eine der Hauptmaßregeln sein, auf welche die Regierung ihr Augenmerk zu richten hat.

III.

Während des Aufstandes im Jahre 1863 zeigten die Polen deutlich ihre Erbitterung gegen die orthodoxe Kirche und deren Priester, so daß an vielen Orten die rechtgläubigen Priester sich vor Verfolgungen verbergen mußten; einige derselben wurden durch die Polen unter fürchterlichsten Martern und Qualen getödtet, nun schon gar nicht von den rechtgläubigen Bauern zu reden und besonders von den Altgläubigen, welche mit Selbstverleugnung der Regierung dienten und sich dem qualvollsten Tode aussetzten. Diese Verfolgung und Marterung unserer Geistlichkeit und überhaupt aller orthodoxen Bewohner zwangen mich, die strengsten Maßregeln zur Bestrafung derjenigen Dorf- und Gutsbewohner zu ergreifen, welche sich an diesen Unthaten betheiligten, und nur durch die Vernichtung dieser Höhlen der Grausamkeit und Räubereien und durch die Verschickung der Bewohner derselben in entfernte Gouvernements konnte ich das Wüthen der Insurgentenbanden begrenzen.

Die polnische Propaganda bemühte sich, alle zur Bekämpfung des Aufruhrs ergriffenen Maßregeln von der

7*

ungünstigsten Seite darzustellen und zugleich das Wüthen der Insurgenten ganz zu verleugnen; aber was dabei für jeden Russen am betrübendsten sein muß, ist, daß in St.-Petersburg selbst hochgestellte Personen den Ränken und Klagen der polnischen Revolutionäre Sympathie entgegenbrachten und sie theilweise unterstützten; diese Sympathie ging so weit, daß die durch die Kriegsgerichte zur Verbannung nach Sibirien verurtheilten Insurgenten in St.-Petersburg von dem Generalgouverneur Fürsten Suworow aufgehalten wurden und daß ihnen, in Folge von vorgegebenen Krankheiten, gestattet ward, mit allen ihren Gesinnungsgenossen im Gefängnisse, wie auch außerhalb desselben zusammenzukommen und zu sprechen; aus ihren Händen wurden sogar verschiedene schriftliche Proteste und Verleumdungen der örtlichen Obrigkeit entgegengenommen, welche durch denselben Generalgouverneur unter dem St.-Petersburger Publikum verbreitet wurden, so daß ich gezwungen war, die Hauptverbrecher nicht über St.-Petersburg, sondern auf Umwegen über Pleskau, Nowgorod und weiter bis Moskau zu schicken.

Des Einflusses, den der Generalgouverneur auf die öffentliche Meinung in St.-Petersburg übte, suchten sich natürlich viele wohlgesinnte Russen zu erwehren; doch fand er bei einigen amtlichen Personen große Sympathie und schadete sehr der Unterdrückung der polnischen Propaganda. Sogar geheime Agenten der Insurrection,

welche die ihnen im westlichen Gebiete drohende Gefahr
sahen, flüchteten nach St.-Petersburg und erhielten, den
Gesetzen zuwider, aus der dortigen Oberverwaltung
Pässe zur Reise in's Ausland; sie entgingen auf diese
Weise der gesetzlichen Verfolgung.

Zur Ehre der russischen Gesellschaft in St.-Petersburg,
welche beständig mit allen Kräften der polnischen Propaganda entgegenarbeitete, dienen die sarkastischen, an den
Fürsten Ssuworow gerichteten Gedichte Fedor Iwano-
witsch Tjuttschew's, die viel Aufsehen und Sympathie
hervorriefen.

Meine Correspondenz mit dem Generalgouverneur
Fürsten Ssuworow und den St.-Petersburger Machthabern
zu dem Zweck, sie zum Aufgeben der sichtbaren Protection der polnischen Insurgenten zu veranlassen, führte
zu nichts; denn die Regierung war in allen ihren Ver-
waltungszweigen geschwächt.

Unabhängig von der Protection, welche man der
polnischen Propaganda in St.-Petersburg erwies, wurde sie
auch durch die gesammte Verwaltung der Ostseeprovinzen unterstützt; eine große Anzahl polnischer Insurgenten, sowohl offener wie auch geheimer, verbarg
sich in Riga, Reval und überhaupt im ganzen baltischen Gebiete, wo sie unter dem Schutze der dortigen
unverständigen und schwachen Verwaltung des Generalgouverneurs Baron Lieven standen. Ungeachtet aller

meiner Forderungen, wie auch der der Militär- und
Civilbehörden der an das baltische Gebiet grenzenden
Gouvernements, gelang es nur zuweilen, einige Personen,
welche sich bei dem Aufstande betheiligt hatten, herauszureißen. Die übrigen verbargen sich dort unter verschiedenen Namen und erhielten Pässe zur Reise in's
Ausland. Zu meinem Bedauern muß ich fast dasselbe
von dem Chef des südwestlichen Gebietes, dem Generaladjutanten Annenkow, sagen; dort hörten die polnische
Propaganda und die Insurgentenverschwörungen nicht
auf und dienten zur Aufrechterhaltung der Insurrection
in den südlichen Kreisen des Grodnoschen und Minskschen
Gouvernements.

Im Jahre 1863 ereignete es sich sogar, daß mit
dem Kiewschen Privatdampfer „Kumir" bewaffnete Auf-
ständische nach Pinsk geschickt wurden; aber Dank der
Landwache wurde der Dampfer an der Grenze des Kiewschen und Minskschen Gouvernements angehalten; derselbe beeilte sich, nach Kiew zurückzukehren, ohne eine gehörige Durchsuchung zuzulassen, wobei drei Mann der
Landwache in Folge einer schnellen Wendung des
Dampfers ertranken. Der Generalgouverneur von Kiew
suchte die Sache zu unterdrücken, und die Schuldigen
wurden nicht entdeckt.

All' dieses Gegenwirken, oder besser gesagt, diese
unverständigen, unter dem Scheine von Philanthropie

geübten Handlungen der Obrigkeit in den benachbarten
Gouvernements waren die Ursache der frechen und beharrlichen Unternehmungen der polnischen Revolutionäre
in dem nordwestlichen Gebiete.

Trotz des Mißglückens aller ihrer Pläne und der
raschen Unterdrückung des Aufstandes gaben die Haupt-
anführer ihre zuverlässige Hoffnung nicht auf, daß
alle von mir zur Niederwerfung der Insurrection ergriffenen Maßnahmen durch den Willen der obersten Regierung gemildert werden, und die aus dem Lande verbannten Insurgenten in ihr Vaterland zurückkehren
würden. Diese Zuversicht war so groß, daß die zur
Verbannung verurtheilten Verbrecher bei Gelegenheit des
Abschieds von ihren Verwandten laut erklärten, daß sie
bald heimkehren würden, und die Hymne auf die Wiederherstellung Polens sangen.

Alle meine hierüber an den Minister des Innern
und den Chef der Gensdarmerie gerichteten Mittheilungen
und sogar deren Vorträge beim Kaiser blieben ohne jedes
Resultat; die Verbannten wurden mit großer Nachsicht
von der betreffenden örtlichen Obrigkeit behandelt, und
der Minister des Innern brachte sie fast in allen Städten
unserer Centralgouvernements unter.

Auf diese Weise breitete sich das Uebel über ganz
Rußland aus; die verschickten Polen verbreiteten überall
ihre revolutionären Ideen und bemühten sich, das bei

uns leider in nicht geringem Maße vorhandene revolutionäre Element für sich zu gewinnen. Die moralische Ansteckung war deutlich bemerkbar — die Correspondenz der Verschickten mit einander und mit den, im westlichen Gebiete zurückgebliebenen Verwandten bezeugte dies nur zu deutlich. Ich machte hierüber mehr als einmal der Obrigkeit in St.-Petersburg Anzeige und ließ den Kaiser davon in Kenntniß setzen; aber alle diese Vorstellungen blieben vergebens. Die philanthropischen Verirrungen der St.-Petersburger Regierung waren so groß, daß das Interesse Rußlands, ungeachtet der bestimmten Kaiserlichen Befehle, nicht berücksichtigt wurde und vor den polnischen Tendenzen zurücktreten mußte.

Es ist bemerkenswerth, daß es in den inneren Gouvernements Rußlands im Laufe der letzten 30 Jahre der polnischen Propaganda gelungen war, keine geringe Anzahl Anhänger sowohl unter den, zum Aufenthalt dorthin geschickten Polen, als auch unter den Russen zu gewinnen. Als Beweis hierfür dienen die Aufstandsversuche in Kasan und in den Wolga-Gouvernements. Die Feuersbrünste, welche in den Jahren 1864 und 1865, von Simbirsk an, auf dieser ganzen Strecke und in ganz Rußland wütheten, wurden mehr oder weniger durch die Agenten der polnischen Emigration veranlaßt.

Viele von den, für Betheiligung an den Revolutionen von 1831 und 1848 zur Zwangsarbeit und überhaupt nach

Sibirien Verbannten erhielten die Erlaubniß, in das
westliche Gebiet und nach dem Königreich Polen zurück-
zukehren*), und bekanntlich wurden sie die Hauptführer
des Aufstandes vom Jahre 1863. Ihre Bekanntschaften
und Verbindungen in Rußland dienten gleichsam als
Etappenpunkte zum Verkehr und Schutz der, im Jahre
1863 nach Sibirien verbannten Insurgenten.

Auf diese Weise wurden, auf Anordnung des Ministers des Innern, die Agenten des polnischen Aufstandes
über ganz Rußland verbreitet, woraus für Rußland in
der Folge**) großes Unheil erwachsen mußte. Alle meine
hartnäckigsten Bemühungen und dringendsten Vorstellungen,
die verbannten Aufrührer in die entferntesten Gouvernements zu schicken, wo sie weniger Unheil anrichten konnten, hatten nicht den geringsten Erfolg.

---

*) Im Jahre 1856 kehrten aus den russischen Gouvernements
und aus dem Auslande mehr als 5000 Polen in das Königreich
zurück.

**) Zu Anfang des Jahres 1866 geschrieben.

IV.

Ich habe bereits dargelegt, welcher Schreck unsere Regierung im März und April 1863 erfaßte, als überall im westlichen Gebiet und im Königreich Polen bewaffnete Banden auftauchten; dieser Schrecken vergrößerte sich um so mehr, als aus fast allen hauptstädtischen Lehranstalten (aus der medico-chirurgischen Akademie, der Universität, den Gymnasien) und aus vielen Regimentern, insbesondere aus der Artillerie, den Ingenieuren und dem Generalstabe, die jungen Leute mit falschen Pässen sich in das südwestliche Gebiet begaben und in die Insurgentenbanden eintraten. Mit Bedauern muß man sagen, daß sich darunter auch einige orthodoxe Russen befanden. Die Regierung hatte sich damals noch nicht ermannt, und zum Schaden Rußlands hatten Humanitäts- und philanthropische Ideen in allen Ministerien das Uebergewicht. So wurde zu Beginn des Jahres 1863 ein Allerhöchster Befehl im Militärressort erlassen (unter dem Kriegsminister Suchazonnet), welcher sämmtlichen Offizieren, die sich an der Campagne gegen die Insurgenten

nicht betheiligen wollten, die Bitte um Ueberführung in
andere, in den inneren Gouvernements stationirte Regimenter gestattete. Diese Maßregel machte sogar Diejenigen schwankend, welche nicht daran zu denken wagten,
daß sie ihren Eid brechen und fahnenflüchtig werden
könnten. Alsbald zeigten sich die Früchte dieser Verordnung: aus allen Regimentern liefen auf Grundlage
jenes Allerhöchsten Befehls Gesuche ein. Viele nahmen
ihren Abschied und traten in die Reihen der Insurgenten,
während Andere einfach desertirten. Durch jene sogenannte humane Maßregel erregte die Regierung selbst
bei den Offizieren polnischer Herkunft und katholischen
Glaubens den Gedanken, daß sie sich aus dem Dienste
des Kaisers und Rußlands entfernen könnten und müßten,
wozu sie auch von dem polnischen revolutionären Rzond
veranlaßt wurden, welcher an alle Regimenter auf dem
Postwege gedruckte Circulare versandte, mit der an alle
Polen und Katholiken gerichteten Aufforderung, den
Dienst zu verlassen und in die Reihen der Insurgenten
einzutreten. — Die auf diese Weise von der Regierung
selbst angeregte Idee der Verschiedenheit der Nationalitäten übte einen solchen Einfluß auf die russischen
Truppenchefs aus, daß viele von ihnen mich, nach meiner
Ankunft in Wilna, baten, die Soldaten polnischer Herkunft in die inneren Gouvernements überzuführen.

Behufs Verhinderung eines weiteren Umsichgreifens

dieser verderblichen Seuche, welche die Würde und Kraft
unserer Truppen zerstörte, war ich gleich nach meiner
Ankunft in Wilna genöthigt, einen Befehl zu erlassen,
welcher, im Gegensatz zu der erwähnten Verordnung des
Kriegsministeriums, dahin ging, daß alle Offiziere, welche
es wagen sollten, aus Rücksicht auf ihre Nationalität
ihrem Eide zuwiderzuhandeln, als Eidesbrecher be-
trachtet und demgemäß mit aller gesetzlichen Strenge bestraft werden würden.

Diese Anordnung rief eine magische Wirkung hervor.
Die in der Armee dienenden Polen gelangten zur Ueberzeugung, daß man mit ihnen nicht scherzen würde, und
wenn sie auch in ihren Herzen noch unsere Feinde blieben,
so erfüllten sie doch wenigstens ihre Pflichten und com-
promittirten nicht die Würde der russischen Armee, die
stets treu zum Kaiser und zu Rußland gestanden hat.

Im Jahre 1831 war es fast gar nicht vorgekommen,
daß Offiziere polnischer Herkunft zu den Insurgenten
übertraten, und größtentheils dienten sie treu und ehrlich
in unseren Reihen gegen ihre Mitbrüder, während sich
im Jahre 1863 alles dieses änderte, meistens durch die
Regierung selbst veranlaßt.

Bald nach Erlaß meines Befehls besann sich auch
die Regierung eines Anderen, und das Kriegsministerium
machte bekannt, daß die Ueberführung zu Regimentern
in den inneren Gouvernements nicht mehr stattfinden

würde; aber das Recht zur Einreichung von Abschieds-
gesuchen wurde nicht aufgehoben. Uebrigens dachte, nachdem mein Befehl publicirt worden war, Niemand von
den Offizieren mehr daran, seinen Abschied zu fordern,
und nur diejenigen, welche sich als unzuverlässig erwiesen, wurden aus dem Dienste entlassen und darauf
unter polizeiliche Aufsicht gestellt, Einige sogar aus dem
Lande verschickt.

In demselben Maße, wie der Aufstand allmählich
nachließ, fingen auch die St.-Petersburger Autoritäten
an, Muth zu fassen und den angeblich maltraitirten
polnischen Rebellen Sympathie zu bezeigen und Schutz
zu gewähren. Für Viele liefen aus St.-Petersburg bei
mir Gnadengesuche ein, mit einem Worte: den ersten
Schreck begann man zu vergessen, und die unserer Regierung eigene Pseudo-Humanität, Nachsicht und Dienst-
fertigkeit für europäische, gegen Rußland gerichtete Tendenzen begannen sich auf's neue zu entwickeln, so daß
bereits im September und October 1863, als der Kaiser
in der Krim weilte, officielle Aufforderungen an mich
gelangten, in Betreff der von mir zur Niederwerfung der
Rebellion ergriffenen Maßregeln die Zügel nachzulassen *).

---

*) Anmerkung der Redaction der „Russkaja Starina": Jede
Grausamkeit war der gutherzigen, außerordentlich humanen Natur
des unvergeßlichen Kaisers Alexander II. zuwider. Als Beherrscher
vieler, unter seinem Scepter vereinigten Völker sah er auch im Polen

Da bereits im November 1863 in allen mir anvertrauten Gouvernements, das Augustowosche nicht ausgeschlossen, der Aufstand vollständig unterdrückt und demnach die mir vom Kaiser zugewiesene Aufgabe erfüllt war, so fand ich es, in Anbetracht meiner völlig zerrütteten Gesundheit für nothwendig, die Verwaltung des Landes aufzugeben, und bat, auf Grund des mir bei meiner Mission vom Kaiser gewordenen Versprechens, Seine Majestät, mir die Verwaltung wieder abzunehmen.

In Folge meines Briefes an den Kaiser d. d. 3. November 1863 würdigte mich Seine Majestät eines huldvollen Rescripts, in welchem strict der Wunsch

---

einen Unterthan, und sobald im Polen der Insurgent ausgerottet war und der Rebell für sein Verbrechen die verdiente Strafe erlitten hatte, erfolgte so rasch als möglich Vergessen und Vergeben. Eben aus diesem Grunde beeilte sich Alexander II., auch den Murawjew'schen Terror zu lindern, der gegen so viele Hunderte, ja Tausende von Personen gerichtet war. Wir wollen hier nicht die Regierungsmaßnahmen und Reorganisationen, welche Murawjew im nordwestlichen Gebiete durchführte, berühren. Wir sprechen bloß von Murawjew's Grausamkeit, von jener Leidenschaft und Virtuosität, Leute zu verfolgen, oft nur auf den leisesten Verdacht hin, wobei die ohnehin moralisch Gemordeten auf seinen Befehl mittelst langwieriger Internirungen gefoltert wurden. Wir erinnern uns bei diesem Anlaß einer Erzählung des Fürsten W. A. Tscherkaßki, die wir hier wörtlich folgen lassen:

Im Jahre 1864 besuchte ich auf der Fahrt von Warschau nach St.-Petersburg in Wilna Murawjew. Der Dictator von Litauen liebte es, gleich vielen aus der Geschichte bekannten großen und kleinen Despoten, in Gesprächen über seine Thätigkeit sich den Anstrich einer

ausgesprochen war, daß ich noch die Verwaltung weiter
führen möchte, solange es meine Gesundheit gestattete.
Ich mußte mich dem fügen, obgleich ich wohl fühlte,
daß die Ansichten der höchsten Regierungsbeamten über
die polnische Insurrection sich bald ändern würden. Ich
blieb, aber mit der festen Absicht, die Regierung nicht
in ihren Maßnahmen schwankend zu machen, und um,
auf Grund des kaiserlichen Willens, welcher sich für mein
Verbleiben im Lande ausgesprochen hatte, zu einer vollständigen Reorganisation der inneren Verhältnisse Litauens zu schreiten, indem ich die polnische Propaganda
vernichtete und die russische Nationalität und die

---

gewissen Gutmüthigkeit zu geben. Nachdem er mich darüber
ausgefragt hatte, wie Graf Berg im Königreich Polen wirke, schlug
er die Hände über seinen umfangreichen Bauch zusammen und
sprach: „Ja, Graf Berg hat es schwer im Königreich, schwerer als
ich hier in Litauen. Dort wohnt eine compacte Menschenmasse, ein
Volk. Bei mir sind die Insurgenten ein zusammengewürfeltes Element, wie vom Fluß zusammengeschwemmter Sand — der polnische
Adel im Lande. Ich habe es viel leichter, sie herauszureißen und
in's Gefängniß zu werfen. Sehr oft thue ich es, ohne daß gegen die Betreffenden eine Schuld vorliegt, selbst ohne daß sie ein Verdacht trifft; nun,
in solchem Falle urtheile ich stets so: mag er immerhin hinter
Schloß und Riegel sitzen, je länger desto besser; vielleicht wird doch
etwas gegen ihn eruirt. Und was glauben Sie? Ich bin so
glücklich gewesen, daß man immerdar doch etwas fand, um meinen
Internirten zur Verantwortung zu ziehen. Nun, dann her mit
ihm!" — Und M. N. Murawjew hatte alles dieses mit weicher
Stimme gesprochen, mit dem gutmüthigsten Lächeln und mit sicht-
barer seelischer Selbstbefriedigung.

Orthodoxie auf sicheren Principien consolidirte. So beginnt seit dem November 1863 eine neue Periode meiner Verwaltung des Landes, eine Epoche der inneren Reorganisation desselben.

Ich halte es nicht für überflüssig, zu erwähnen, daß der Kaiser, um sein Wohlwollen für mich zu bezeigen, mir am 30. August 1863, seinem Namenstage, den Orden des heiligen Andreas des Erstberufenen mit einem gnädigen Rescript zu übersenden geruhte; aber so groß war der Einfluß der gegen mich agitirenden Partei, daß um dieselbe Zeit, gewissermaßen um die Bedeutung der mir verliehenen Belohnung abzuschwächen, derselbe Orden mit einem Rescript gleichen Inhalts auch dem Kiew'schen Generalgouverneur Annenkow zu Theil wurde, während doch in dem von Letzterem verwalteten Gebiet nicht allein keinerlei Maßnahmen behufs Niederwerfung der Rebellion ergriffen, sondern vielmehr die polnische Propaganda, sogar in Kiew selbst, offen zugelassen worden war.

Die gleichzeitige Belohnung des Generaladjutanten Annenkow rief bei den Russen allgemeines Murren hervor und erzeugte ein gerechtes Mißtrauen in die Stabilität des von mir eingeführten Verwaltungssystems. Diese Unzufriedenheit fand sogar ihren Ausdruck in einem Schreiben des Präsidenten des Reichsraths, Grafen Bludow, in welchem derselbe seine Ansichten über die

mir verliehene Auszeichnung entwickelte, und zum 8. November 1863, dem Tage meines Schutzengels, sandten
mir russische Männer, an ihrer Spitze derselbe Graf
Bludow, — in dem Wunsche, durch moralische Sympathieen die von mir im Lande eingeführte Ordnung der
Verwaltung und mein System zur Ausrottung der polnischen Rebellion zu unterstützen — ein werthvolles
Heiligenbild des Erzstreiters Michael unter Beifügung
eines bedeutungsvollen, von mehr als 80 Personen unter-
zeichneten Schreibens. Diese Gabe und die, tiefem Vater-
landsgefühl und warmer Hinneigung zur Orthodoxie
entströmenden Segenswünsche von Russen wischten jenen
trüben Eindruck hinweg, den die zweideutige Verleihung
des Andreas-Ordens auf mich gemacht hatte. In dem
mir übersandten Heiligenbilde erblickte ich den Triumph
der russischen Sache und der russischen Gefühle, ich kann
wohl sagen ganz Rußlands, welche weder von der polnischen Propaganda, noch von den inneren Feinden desselben erschüttert werden können.

V.

Bereits im Jahre 1863, zur Zeit des Aufstandes selbst, erließ ich, soweit möglich, die nothwendigen Verfügungen, um den Einfluß der uns stets feindlich gesinnten polnischen Pane, Schljächta und Priester zu schwächen, und verbesserte das geistige und materielle Leben der ihnen unterworfenen Bauern, indem ich überall russische Schulen einführte, nicht nur inmitten der ländlichen Bevölkerung, sondern auch in den Städten, wobei ich auch die Juden, die bisher der russischen Sache völlig fremd gegenübergestanden hatten, zur Erlernung des russischen Lesens und Schreibens heranzog. Die Priester aber unterstellte ich der strengsten Beaufsichtigung seitens der örtlichen Autoritäten, welche bereits fast sämmtlich Russen waren.

Zu den von mir behufs Bändigung der katholischen Geistlichkeit ergriffenen Maßregeln gehörte auch die Schließung und vollständige Aufhebung dreier katholischer Gesellschaften, welche angeblich zu wohlthätigen Zwecken und zur Förderung der Sittlichkeit des Volkes gestiftet worden waren, in Wirklichkeit aber sich das Ziel gesetzt hatten, den Einfluß der lateinischen Propaganda auszubreiten und letzterer die gesammte Bevölkerung, vornehmlich die ländliche, zu unterwerfen.

Die „Mäßigkeits-Gesellschaft", die angeblich die Trunksucht im Volke ausrotten wollte, wurde bereits 1860 begründet, d. h. zu Beginn der polnischen Propaganda in Litauen. Diese Mäßigkeits-Brüderschaft war, im Widerspruch mit den Gesetzen, mittelst päpstlichen Segens bestätigt und die Verwirklichung ihrer Zwecke den katholischen Bischöfen übertragen worden. Als Hauptagenten der Gesellschaft fungirten im Kownoschen Gouvernement der Bischof Wolontschewski, im Wilnaschen und Grodnoschen der Bischof Krassinski. Wolontschewski zögerte nicht, die Anordnung zu treffen, daß die gesammte Geistlichkeit der ihm anvertrauten Eparchie thätigen Antheil an der Gesellschaft nehme. In allen Kirchen wurde vom Altar aus die Eröffnung der Brüderschaft verkündigt; die Priester mahnten das Volk in der Beichte, daß es Pflicht eines Jeden sei, der Mäßigkeits-Brüderschaft beizutreten und, unter diesem Vorwande, sich bedingungslos den Anordnungen der Geistlichkeit zu fügen, welche mit Genehmigung des Bischofs und mit dem Segen des Papstes Jedem seine Sünden auf viele Jahre voraus vergab. Auf diese Weise wurde das Volk dahin gebracht, den Willen der katholischen Geistlichkeit zu

8*

erfüllen, welche es in eine unserer Regierung entgegengesetzte Bahn leitete und an allen, seit dem Jahre 1861 im ganzen Lande auftretenden revolutionären Manifestationen theilnahm.

Der ehemalige Generalgouverneur, Generaladjutant Nassimow sah dieses Uebel, hatte aber nicht genug Willenskraft, um es aufzuhalten. Auf Anträge der Regierung antwortete der Bischof Wolontschewski mit scharfer Weigerung, und zu Anfang des Jahres 1862 und im Jahre 1863 bemühte er sich, den Einfluß der Geistlichkeit auf das Volk noch mehr zu kräftigen, um dasselbe zum Aufstand zu verführen.

Im Laufe des Jahres 1863 und zu Ende desselben wurden von mir Maßnahmen ergriffen, um diesen schädlichen fanatischen Einfluß der römisch-katholischen Geistlichkeit auf das Volk aufzuheben. Die Mäßigkeits-Brüderschaften wurden energisch verboten, und diejenigen Priester und Gutsbesitzer, welche diese Anordnung übertraten, wurden der gesetzlichen Verantwortung und außerdem Geldstrafen unterzogen. Auf gleiche Weise wurde die römisch-katholische Geistlichkeit für die widergesetzliche Errichtung von Schulen (ohne Kenntniß des Schulressorts), die einzig der Ausbreitung der lateinisch-polnischen Propaganda dienen sollten, gestraft.

Meine streng und ohne Schwanken zur Ausführung gebrachten Anordnungen in dieser Sache erreichten schnell ihr Ziel, und das Volk begann allmählich aus dem starken Druck der römisch-katholischen Geistlichkeit herauszutreten, welche ihrerseits unfreiwilliger Weise sich der nächsten örtlichen Militär- und Civil-Autorität unterordnen mußte.

Die nicht weniger schädliche, 1861 in Wilna von Frau Buczinska gegründete Gesellschaft St.-Vincent de Paul, bekannt durch ihren religiösen Fanatismus (zu welcher nicht nur polnische, sondern auch hervorragende russische Damen in Wilna und sogar in St.-Petersburg gehörten), bezweckte, unter dem Schein von Wohlthätigkeit, Gelder zur Förderung des Aufruhrs zu sammeln. Generaladjutant Nasimow, seine Frau und ein großer Theil der russischen Damen wurden Mitglieder der Gesellschaft, welche unter der Oberleitung des Wilnaschen Bischofs Krassinski stand.

Die Buczinska war die Erste, welche Trauer anlegte, und die von ihr gesammelten Gelder vertheilte sie unter einfache Frauen mit der Verpflichtung, Trauerkleider zu tragen. Zu Anfang 1863 errieth selbst Nasimow die eigentlichen Bestrebungen der Gesellschaft: er schickte die Buczinska auf's Land und verbot die Versammlungen der Gesellschaft. Aber auf den General Nasimow hörte bereits Niemand mehr: die Gesellschaft versammelte sich wiederholt in Wilna selbst, unter dem Vorsitz des Bischofs Krassinski. — Ich ordnete eine Verfolgung der Wirksamkeit der Gesellschaft an. Krassinski

war bereits früher von mir nach Wjatka geschickt worden; die Hauptfactoren der Gesellschaft: die Buczinska,
Lopazinska, Gräfin Plater und andere Damen, wurden,
nach Beendigung der Untersuchung, in's Innere des Reiches
verbannt und die Gesellschaft selbst definitiv geschlossen,
wobei gleichzeitig eine Publication über ihre schädliche
Wirksamkeit erlassen wurde.

Später, erst 1864, wurde die Gesellschaft der Frau
Dombrowska aufgelöst, welche unter dem Namen eines
Wohlthätigkeitsvereins mit Genehmigung der Regierung
begründet worden war und an der fast alle Bewohner
des Landes mittelst Darbringung von Gaben theilnahmen.
Diese Gesellschaft besaß ihre eigenen Häuser, angeblich zur Unterbringung von Armen; in Wirklichkeit
aber bezweckte sie, durch verschiedene Sammlungen
und Entsendung von Agenten zur Veranstaltung von
Collecten im ganzen Lande, den Aufstand zu unterstützen.
Diese Agenten, vorherrschend Frauenzimmer, dienten als
Vermittler aller revolutionären Beziehungen und bildeten
eine Art Nonnen, da sie das Gelübde abgelegt hatten,
sich dem Wohlthun zu weihen. — Die Dombrowska errichtete Filialen der Gesellschaft in Kowno, Schaulen,
Dünaburg, Kreßlawka und an anderen Orten; sie besaß
sogar in Konstantinopel und an verschiedenen Orten des
nordwestlichen Gebiets Agenten für politische Händel.

In den, nach der in früherer Zeit erfolgten

Aufhebung übriggebliebenen Klöstern der barmherzigen
Schwestern wurden, unter der schwächlichen Regierung
und mit Genehmigung der Bischöfe, insgeheim Herbergen
gegründet; so in Kresslawka, Drogitschin, Kowno und an
anderen Orten. Alle diese Herbergen wurden zugleich
mit der Aufhebung der Dombrowska'schen Gesellschaft
geschlossen, die Häuser confiscirt und die sogenannten
Nonnen in ihre Heimath gesandt. Die Dombrowska
starb zu Anfang des Jahres 1864 und entging so der
Verantwortung.

In Folge der Vernichtung dieser drei Hauptgesell-
schaften, welche so eifrig beim Aufstande mitgewirkt
hatten, wuchs die Unzufriedenheit der, wie oben gesagt,
von St.-Petersburg aus unterstützten polnischen Propaganda in hohem Maße, und ich hätte selbstverständlich
das Ziel der Pacificirung des Landes nicht erreicht, wenn
ich für alle diese Verfügungen vorher um die Erlaubniß
der Residenz nachgesucht hätte. Ich hielt es für nothwendig, unaufhaltsam zu wirken, die Hydra des
Aufruhrs auf's Haupt zu schlagen und mich um gar
keine Hindernisse zu kümmern, die beständig nicht so sehr
an Ort und Stelle, als in der Residenz eintraten.

Nach diesen Maßregeln und gleichzeitig mit denselben
wurden, besonders im Jahre 1864, Verfügungen erlassen,
welche die Einschränkung des Einflusses der lateinischen
Geistlichkeit bezweckten.

Alle erwähnten, mehr oder weniger erfolgreich durchgeführten Anordnungen riefen, so zu sagen, einen allgemeinen Aufstand der polnischen Propaganda hervor; aber
nichtsdestoweniger wurde das Land sichtlich beruhigt, und
blieb nur eine definitive Erforschung der geheimen Wirksamkeit der Hauptagenten der Propaganda, von denen
viele ständige Beziehungen zu eben solchen Agenten in
St.-Petersburg unterhielten, übrig. Die Nachforschungen
wurden mit Erfolg fortgesetzt, und immer mehr enthüllte
sich das tief durchdachte System der Rebellion, das sich
im Laufe vieler Jahre in Folge der Nachlässigkeit der
örtlichen Oberverwaltung und der von unserer Regierung
bewiesenen Verständnißlosigkeit für das Land und die
Lage desselben erfolgreich befestigt hatte.

St.-Petersburg, 4. April 1866.

Drittes Capitel.

I.

Nach Unterdrückung des Aufstandes und Herstellung völliger Ruhe im Lande, erachtete ich es für nothwendig, nach St.-Petersburg zu fahren und persönlich dem Kaiser über die derzeitige Lage des Landes und über die von mir behufs Russificirung desselben ergriffenen Maßregeln Vortrag zu halten, gleichzeitig aber auch meine Bitte zu erneuern, daß ich der weiteren Verwaltung dieses Landes meiner äußerst zerrütteten Gesundheit wegen entbunden werde.

Ich erachtete es um so mehr für geboten, das Land zu verlassen, als die oberste Regierung, in Bezug auf den Aufstand völlig beruhigt, wiederum nach alter Weise nachsichtigere und nachgiebigere Maßnahmen zu ergreifen begann, wobei sie es sogar für räthlich hielt, in kurzer Frist den Belagerungszustand aufzuheben und vielen von den nach Rußland Verbannten die Rückkehr in's Land zu gestatten. Diese Anschauungen verbreiteten und vertraten hauptſächlich der Miniſter des Innern (Walujew), der Chef der Gensdarmen (Fürſt Dolgorukow), der Miniſter des Auswärtigen (Fürſt Gortſchakow) und einige andere Staatswürdenträger, beſonders aber der Kriegs-General-gouverneur von St.-Petersburg, Fürſt A. A. Suworow, welcher ſich von ſeiner Nachſicht gegen die polniſchen Re-volutionäre ſo ſehr hinreißen ließ, daß es faſt ſchon an Wahnſinn grenzte: er hielt, unter dem Vorwande von Krankheit, viele wichtige polniſche Verbrecher, ſogar ſolche, welche zur Zwangsarbeit verurtheilt waren, auf ihrem Wege in St.-Petersburg auf *), geſtattete ihnen Zuſammen-künfte mit den Ihrigen, nahm Suppliken entgegen und verwandte ſich überall für ſie, wobei er öffentlich das Verfahren der Verwaltung des nordweſtlichen Gebiets tadelte. Seine Sympathieen für die polniſchen Rebellen waren ſo groß, daß, als die Verbindungen der litauiſchen Revolutionäre mit den polniſchen und ruſſiſchen in St.-Petersburg aufgedeckt, und einige Perſonen auf Anzeige der Wilnaſchen Unterſuchungscommiſſion dort arretirt und behufs Unterſuchung und Aburtheilung nach Wilna re-quirirt wurden, Fürſt Suworow ihnen die Möglichkeit zur Flucht bot, andere aber, wie z. B. Jundzill, einer der wichtigſten Verbrecher unter der Protection des Fürſten

---

*) Es lebte z. B. noch im Jahre 1865 der zur Zwangsarbeit verurtheilte Wenzlowowicz ſehr gemächlich in einem Gaſthauſe zu St.-Petersburg.

Suworow aus dem Gefängniß entflohen und sich in's
Ausland begaben.

Die Petersburger Obrigkeit war so sehr von den
Ideen der Nachsicht und der Begnadigung der Polen durchdrungen, daß viele durchaus begründete Anzeigen über die
Betheiligung einiger in St.-Petersburg lebenden Personen
an den Verschwörungen gegen die Regierung nicht allein
ununtersucht blieben, sondern daß sogar gegen die betreffenden Personen nicht die geringsten Maßregeln ergriffen wurden. Auf diese Weise entflohen viele aus St.-
Petersburg und wurde der bekannte Josaphat Ogryszko,
ein Hauptagent des Aufstandes in St.-Petersburg, nicht nur
nicht seiner Freiheit beraubt, sondern nicht einmal unter
Aufsicht gestellt, ungeachtet dessen, daß gegen ihn schon
seit Mitte 1863 begründeter Verdacht vorlag. Er wurde
erst gegen Ende des Jahres 1864 auf ein besonders
dringendes Verlangen nach Wilna abgefertigt.

Es ist zu bemerken, daß in allen Ministerien, besonders im Finanz- und im Postressort überaus wichtige
und einflußreiche Aemter von Polen bekleidet wurden.
Im Finanzministerium wurden dieselben von einigen
Departementsdirectoren offen begünstigt und erhielten sie
durch die HH. Ogryszko, Narshimski u. A. verschiedene
Aemter im Innern des Reiches und besonders im westlichen Gebiet. Auf diese Weise wurden die Elemente des
polnischen Aufstandes überallhin in das Innere Rußlands

verbreitet; es gab Gouvernements, in denen außer den
Acciseämtern, viele Polizeistellungen, mit Genehmigung
des Ministers des Innern, von Polen bekleidet waren,
und ungeachtet meiner Proteste wurde, auf Anordnung
desselben Ministers, ein großer Theil der in das Innere
des Reiches verbannten Polen in fast allen Städten unserer
Centralgouvernements internirt, wodurch die Pest des
polnischen Aufstandes und der Unzufriedenheit mit der
Regierung überall hin verbreitet wurde.

Alles dies zusammen und die unharmonische, richtiger
gesagt schädliche Richtung der obersten Machthaber in St.-
Petersburg veranlaßte mich, dem Kaiser alles entschieden
zu sagen, und ihn um meine Enthebung von der Verwaltung dieses Gebiets zu bitten.

Am 25. April 1864 langte ich in St.-Petersburg
an und nur mit großer Mühe hatte ich die Beschwerde
der Reise ertragen, so daß ich länger als eine Woche nach
meiner Reise mich dem Kaiser nicht vorstellen konnte.

In St.-Petersburg wurde ich von russischen Männern
mit großer Sympathie empfangen, trotz des fast officiell
veranstalteten Widerstandes der Petersburger Autoritäten
und insbesondere des Generalgouverneurs Fürsten Suworow. Die Abneigung der bezeichneten Personen trat
offen zu Tage, und daher war ich fest entschlossen, dem
Kaiser meine Meinung ganz zu sagen. Nach so erfolg-
reicher Unterdrückung des Aufstandes und Wiederherstellung

— ich wage es zu sagen — der Würde und des An-
sehens der russischen Regierung nicht nur im westlichen
Gebiet sondern auch in Europa, konnte ich von Seiten
des Kaisers einen großen Empfang erwarten, besonders
wenn ich daran dachte, wie mich vor Jahresfrist der
Kaiser, der sich einzig nur auf mich verließ, mit Hoffen
und Bangen entsandt hatte, um das nordwestliche Gebiet
Rußland zu erhalten, da das Königreich Polen bereits
als für uns verloren erachtet wurde.

Eine Woche nach meiner Ankunft, als sich meine
Kräfte wieder einigermaßen restaurirt hatten, verfügte
ich mich — noch halb krank — zum Kaiser, welcher es
sichtlich nicht für nöthig gehalten hatte, mir während der
Zeit meiner Krankheit besondere Aufmerksamkeit zu
erweisen.

Der Empfang, den ich beim Kaiser fand, war kühl;
obgleich er mir seinen Dank aussprach für die Unterdrückung des Aufstandes, so geschah dies doch so lakonisch,
daß der Einfluß mir feindlich gesinnter Personen offen
zu Tage trat. Augenscheinlich hatte der Kaiser alles vergessen: sowohl die Ereignisse vom April 1863, als er
mich bat, die Verwaltung des Landes zu übernehmen,
wie auch alles, was zum Wohl und zur Ehre Rußlands
geschehen war.

Ich benutzte diese Gelegenheit, um ihm meinen
Entschluß mitzutheilen, das Gebiet zu verlassen, sowohl

meiner vollständig zerrütteten Gesundheit wegen, wie auch wegen des offenbaren Mangels an Uebereinstimmung seitens der Regierungschefs mit meinem Verwaltungssystem. Nach dieser Erklärung änderte sich das Benehmen des Kaisers gegen mich ein wenig — er stellte mir die Rothwendigkeit vor, daß ich noch im Lande bleiben und die Verwaltung desselben beibehalten müsse. — Ich setzte ihm das von mir befolgte System auseinander und erwähnte des Widerstandes seitens der Petersburger Machthaber, wobei ich Sr. Majestät erklärte, daß ich die weitere Verwaltung des Gebiets nicht früher übernehmen könne, als bis von der Regierung eine Reihe von mir projektirter Maßregeln zur Befestigung der russischen Nationalität im Lande bestätigt worden seien. Der Kaiser erkannte die Rothwendigkeit dieser meiner Vorstellung an und trug mir auf, ihm direct eine Memoire über diese Angelegenheit zu übersenden. Mein Unwohlsein hatte mich wider Willen daran gehindert, mich mit der Sache zu beschäftigen, und ich sagte dem Kaiser, daß ich mich bemühen würde, seinen Befehl zu erfüllen, obschon ich übrigens, meines Unwohlseins halber, nicht hoffen dürfte, diese Arbeit in kurzer Zeit zu vollenden. Der Kaiser bat mich jedoch diese Sache zu beschleunigen, da er selbst mit der Kaiserin im Mai (1864) in's Ausland zu reisen gedenke und wünsche, daß ich zu der Zeit in Wilna wäre.

Nachdem ich mich vom Kaiser — sichtlich in bestem

Einvernehmen, wahrscheinlich aber nur scheinbar — verabschiedet hatte, beschäftigte ich mich mit der vorerwähnten Arbeit und, da meine Gesundheit sehr schwach war, erklärte ich dem Kaiser die Nothwendigkeit, einen Adjunkten bei der Civilverwaltung zu haben und bat um einen zwei- oder dreimonatlichen Urlaub zur Erholung und Wiederherstellung meiner Gesundheit, womit der Kaiser auch einverstanden war.

Ich kam häufig mit verschiedenen Regierungspersonen zusammen, wobei wir Gespräche über die Organisation des Gebiets führten; ich fand viel Sympathie, doch zu meinem Bedauern standen die meisten höheren Beamten auf Seiten der Polen und näherten sich den Ansichten der europäischen Mächte über unser westliches Gebiet. Sie kannten weder die Geschichte des Landes noch dessen derzeitigen Zustand und noch weniger kannten sie den polnischen Charakter, noch die immerwährenden, Rußland feindlichen Tendenzen der Polen. Sie konnten den Gedanken einer vollständigen Verschmelzung dieses Gebiets mit Rußland nicht fassen, hielten es für polnisch und achteten die gesammte dort numerisch vorherrschende russische Bevölkerung für nichts. Sie dachten, fühlten und handelten nach Eingebungen der Polen und überhaupt der polnischen Propaganda, welche in alle Schichten der Petersburger Gesellschaft eindrang und dort wichtige Posten bekleidete.

Es ist bekannt, daß der größte Theil der russischen Aristokratie, die in europäischen Ideen, ohne Achtung vor ihrer Religion und ihrem Vaterlande erzogen wird, immer ohne Ueberzeugung, und stets der im Westen herrschenden Richtung folgend, gehandelt hat. Für sie existirt kein Rußland und keine orthodoxe Kirche, sie sind Kosmopoliten, farblos, in Bezug auf den Nutzen des Vaterlandes unempfindlich; auf dem ersten Plane steht bei ihnen ihr eigener Vortheil und ihre eigene Person. Das war der Kreis der obersten Staatsbeamten, mit denen ich zu kämpfen hatte, um mein Verwaltungssystem im Gebiet einzuführen.

Unter den Ministern fand ich eifrige Förderer der russischen Sache in dem Domänenminister Selëny, dem Kriegsminister Miljutin, dem Minister der Wegecommunicationen Melnikow und dem Justizminister Samjätin. Die übrigen standen alle auf Seiten der Polen und waren glühende Vertheidiger derselben. Nur einige von ihnen blieben ganz gleichgültig sowohl gegen diese als auch gegen die andere Partei.

Da ich sah, daß ich mit meinen Vorschlägen auf heftigen Widerstand stoßen würde, erachtete ich es für nothwendig, vor dem Kaiser ein Gesammtbild dieser Sache zu entrollen, theilweise mündlich, doch zum größeren Theil schriftlich in Gestalt einer Denkschrift über einige die Organisation des nordwestlichen Gebiets betreffende Fragen, welche ich direct in die Hände des Kaisers, behufs vorläufiger Durchsicht, am 14. Mai 1864 niederlegte.

Ich hielt es für unmöglich, die Verwaltung des mir anvertrauten Landes fortzusetzen, wenn nicht die wichtigsten der von mir in Vorschlag gebrachten Principien genehmigt würden, was ich auch dem Kaiser sagte.

Zwei Tage später erklärte der Kaiser, nach Durchsicht meiner Denkschrift, seine vorläufige Uebereinstimmung mit den erheblichsten, in derselben auseinandergesetzten Punkten, doch verwarf er entschieden den Vorschlag, diejenigen Personen, welche wegen politischer Vergehen aus dem Lande verbannt worden, dazu zu verpflichten, ihre sequestrirten Güter in einer bestimmten Frist zu verkaufen und ihnen dadurch die Möglichkeit zu nehmen, sich wieder im Lande niederzulassen. — Hieraus war deutlich zu ersehen, wie schwach das Streben war, das russische Element im nordwestlichen Gebiet zu befestigen und wie sehr Allem, was für Rußland von Nutzen sein konnte, seitens der obersten Staatsbeamten entgegengearbeitet wurde. Dieses mein Project, welches später wiederholt vom Domänenminister und meinem Nachfolger, dem General Kaufmann aufgenommen wurde, erhielt erst im December 1865 definitive Bestätigung und zwar mit großen Einschränkungen der Rechte der Grundbesitzer polnischer Herkunft.

Dictator von Wilna.   9

Der sichtliche Umschwung in den Ansichten des Kaisers in Bezug auf die Nothwendigkeit des von mir behufs Russificirung des nordwestlichen Gebiets befolgten Systems vollzog sich erst nachdem mehr als ein Jahr seit Niederlegung meines Amtes verflossen war: — so stark war die Opposition und die polnische Propaganda unter den Führern der Regierung in St.-Petersburg selbst.

In meiner dem Kaiser unterbreiteten Denkschrift hatte ich mit voller Offenheit und Deutlichkeit die Nothwendigkeit dargelegt, das System der Regierung abzuändern und sich der ganzen Fehlerhaftigkeit der bisherigen Maßnahmen und des Systems der Nachgiebigkeit bewußt zu werden, welche im Laufe vieler Decennien das polnische Element im Lande befestigt und Alles zum Aufstande vorbereitet hatte.

Die Denkschrift wurde, auf Allerhöchsten Befehl, binnen 8 Tagen vom Minister-Comité geprüft; die Opposition und der Widerstand von Seiten fast aller Minister war groß, aber sie wagten noch nicht, entschieden die von mir vorgeschlagenen Maßregeln zu verwerfen: die meisten gingen ohne Abänderungen durch, andere wurden abgeschwächt durch Aenderung des Sinnes vermittelst unrichtiger Abfassung. Nichtsdestoweniger wurde mir durch die endgiltige kaiserliche Bestätigung der wesentlichsten von mir vorgeschlagenen Maßnahmen: in Bezug auf Hebung der orthodoxen Geistlichkeit, Erhöhung ihres Gehalts,

Aufhebung derjenigen römisch-katholischen Klöster, welche in den Aufstand verwickelt waren, Beschränkung der Rechte der römisch-katholischen Geistlichkeit bei Erbauung von Kirchen und bei Ernennung zu Aemtern ohne Genehmigung der Localobrigkeit, Ausschließung der polnischen Sprache aus allen Lehranstalten, Eröffnung russischer Schulen, Erhöhung des Gehalts der russischen Beamten, welche in dieses Gebiet übersiedeln, Ergreifung energischer Maßnahmen behufs Vernichtung der polnischen Propaganda und aller äußeren Kennzeichen der Herrschaft des polnischen Elements im Lande, möglichste Beschränkung in der Ernennung von Personen polnischer Herkunft zu Aemtern im westlichen Gebiet, sowie in Bezug auf viele andere Maßregeln, welche dem obenangeführten Zwecke förderlich sein mußten und ganz besonders durch Aufrechterhaltung aller von mir in Betreff der Ansiedelung der Bauern im nordwestlichen Gebiete ergriffenen Maßregeln und der von mir den Controlcommissionen ertheilten Instructionen (alles dies war, wenn auch nicht ganz bestätigt, so doch nicht verworfen worden) — — Anlaß zur Hoffnung gegeben, dem Gebiete Nutzen bringen zu können, und daher entschloß ich mich, bei dem sichtlichen Wunsch des Kaisers, daß ich das nordwestliche Gebiet weiter verwalte, nach Wilna abzureisen, wo ich am 25. Mai 1864 anlangte.

9*

II.

Wie schon oben erwähnt, bereiteten sich der Kaiser und die Kaiserin zu einer Reise in's Ausland vor und ich mußte daher meine Rückkehr nach Wilna beschleunigen, um ihnen einen sicheren Weg zu bereiten und ihnen vollen Schutz vor den bei der politischen Gährung möglichen Gefahren zu gewähren.

Am 27. Mai 1864 geruhten Kaiser und Kaiserin in Dünaburg zu übernachten, am 28. passirten sie Wilna, speisten in Kowno zu Mittag und trafen an demselben Tage zum Nachtlager schon in Eydtkuhnen in Preußen ein.

Ich empfing Kaiser und Kaiserin in Wilna auf dem Bahnhofe. Sie geruhten, mit dem ihnen sowohl in Dünaburg als auch in Wilna bereiteten Empfange vollständig zufrieden zu sein und sprachen mir ihren Dank aus, wobei der Kaiser den Wunsch ausdrückte, auf seiner Rückreise nach Rußland, im Juli, in Wilna oder Kowno eine Truppenrevue abzuhalten, was er auch schon vor unserer Begegnung in Dünaburg angekündigt hatte.

Obschon ich ihm vorstellte, wie mißlich es sei, zu gegenwärtiger Zeit eine Revue abzuhalten, hielt er es, weil er dieselbe bereits öffentlich angekündigt, für unmöglich, seinen Entschluß abzuändern.

Bei meiner Rückkehr nach Wilna wurde ich von allen Beamten mit augenscheinlicher großer Freude empfangen, denn sie hatten gefürchtet, daß ich mich in Petersburg von der Verwaltung des Gebiets lossagen würde. Ich benutzte den günstigen, durch die mir vom Kaiser erwiesene Aufmerksamkeit und durch die Bestätigung der von mir unterbreiteten wichtigsten Vorschläge hervorgerufenen Eindruck und schritt unverzüglich zur Verwirklichung derselben, so daß im Laufe des Jahres 1864 fast alle obenerwähnten Maßregeln in Ausführung gebracht wurden. Es wurden mehr als 30 katholische Klöster aufgehoben, viele ohne Genehmigung erbaute Filialkirchen und überflüssige Pfarren, welche inmitten der orthodoxen Bevölkerung errichtet worden, um diese zum Katholicismus zu bekehren, geschlossen; gegen 400,000 Rubel Silber an jährlichem Zuschlaggehalt für die orthodoxe Geistlichkeit ausgeworfen; der Gebrauch der polnischen Sprache allenthalben im officiellen Verkehr, in allen Schulen und öffentlichen Institutionen untersagt und durch eine Reihe fortlaufender Circuläre die Wirksamkeit der römisch-katholischen Geistlichkeit der strengsten Controle seitens der localen Autoritäten unterstellt.

Durch Einführung aller dieser Vereinbarungen hob sich der Muth der russischen Männer und der orthodoxen Geistlichkeit im Gebiet, und das einfache Volk fing an zur Errichtung der orthodoxen Kirchen beizusteuern, zu deren Erbauung ich bedeutende Steuern aus den Contributionsgeldern angewiesen hatte. Kurz — die russische Sache und die Orthodoxie lebten im Lande wieder auf; überall verbreitete sich die Ueberzeugung von der früheren Existenz der russischen Nationalität in dem von den Polen annectirten Lande; die Idee von der Wiedergeburt der russischen Nationalität in demselben wurde fast allgemein, sogar die Juden fingen an russisch zu lernen, zu welchem Zwecke Schulen in den Gouvernementsstädten errichtet wurden, die Katholiken begannen ebenfalls russisch zu lernen, denn dies war ihnen zur Pflicht gemacht und sie waren unter Aufsicht der Ortsobrigkeit gestellt worden. Orthodoxe Kirchen begann man überall zu bauen, und die Katholiken, besonders im Gouvernement Minsk, traten in ganzen Gemeinden zur Orthodoxie über, wobei ihre katholischen Kirchen in russische umgewandelt wurden. Die Bauernangelegenheiten, d. h. die Arbeiten der Controlcommissionen, schritten mit Erfolg vorwärts, und der Wohlstand der Bauern nahm bedeutend zu; die polnischen Pane aber fühlten, daß sie nicht im Stande seien, mit der Regierung in Kampf zu treten und gaben nach, indem sie an Ort und Stelle keinerlei Opposition mehr machten und ihre feindlichen Anschläge in die Residenz übertrugen, wo sich immer mehr und mehr, unter Protection von Russen, welche jegliche Achtung vor ihrer Nationalität und vor dem Glauben ihrer Vorfahren verloren hatten, das polnische Element ausbreitete. Nur der Kaiser und die kleine Schaar der obengenannten Staatsbeamten, hielten das russische Princip aufrecht, während der Minister des Innern und der Chef der Gensdarmen, gemeinsam mit dem Fürsten Suworow, offenbar die polnischen Revolutionäre unter dem Vorwande protegirten, daß diese ungerechter Weise verfolgt und unterdrückt würden und daß man nach Niederwerfung des Aufstandes ihnen freundschaftlich die Hand zu gegenseitiger Annäherung bieten müßte, d. h. sie wollten dasselbe verderbliche System befolgen, das nach der Campagne von 1812, der Revolution von 1831 und dem partiellen Aufstande von 1848 ihnen zur Ermuthigung gegen uns diente und die Veranlassung des so grausigen, allgemeinen Aufstandes im nordwestlichen Gebiet vom Jahre 1863 wurde.

Vor meiner Abreise nach Wilna (1864) stellte ich dem Kaiser vor, daß für mich eine Erholung nothwendig sei, und bat ihn mir einen Adjunkten für die Civilverwaltung beizugeben, weil meine zerrüttete Gesundheit mir die Hoffnung auf andauernde Verwaltung des Landes nahm. Der Kaiser war hiermit, wie auch mit der Ernennung des Generals à la suite Sr. Majestät Potapow zu diesem Amte einverstanden, obgleich er übrigens von ihm wie von einem Menschen sprach, der wenig von der Civilverwaltung verstände. Dies geschah mit Zustimmung des Fürsten Dolgorukow, welcher anscheinend ihn mit Vergnügen ziehen ließ. (Potapow war Dirigirender der 3. Abtheilung Sr. Majestät eigenen Kanzlei und Chef des Stabes des Gensdarmencorps.) Da aber Fürst Dolgorukow den Kaiser auf seiner Reise begleiten und nicht vor dem Juli 1864 nach Petersburg zurückkehren sollte, so wurde die Ausfertigung der Ernennung bis zu dem erwähnten Termin aufgeschoben.

III.

Im Juli 1864 kehrte der Kaiser aus dem Auslande zurück und traf am 7. Abends zur beabsichtigten Truppen-revue in Wilna ein. Der Kaiser stieg in dem von mir bewohnten Palais ab, war sehr leutselig und gnädig und setzte auf den folgenden Tag, den 8. Juli 7 Uhr Morgens die Revue auf dem hinter der Grünen Brücke belegenen Felde fest, mit der Absicht, sich direct von der Revue auf die Eisenbahn zur Weiterreise nach Dünaburg zu begeben, wo ebenfalls eine Revue stattfinden sollte.

Se. Majestät hatte sich für baldige Abreise aus Wilna entschieden, weil ich mich dahin geäußert hatte, daß es nicht gerathen sei, irgend welche Nachsicht oder irgend welches Entgegenkommen der polnischen Schljachta zu erweisen, welche mit Ungeduld die Durchreise des Kaisers erwartete und verschiedene Vergünstigungen und Begnadigungen zu erwirken hoffte. Aber ihre Hoffnungen wurden bitter getäuscht: Niemand vom polnischen Adel wurde vom Kaiser des Empfanges gewürdigt und sogar die römisch-katholische Geistlichkeit, welche darauf rechnete,

daß er die St. Stanislaus-Kathedrale besuchen würde,
und ihn mit Kreuz und Fahnen in der Vorhalle erwartete, sah sich in ihrer Hoffnung betrogen, denn der
Kaiser fuhr an ihr vorüber, ohne ihr die geringste Aufmerksamkeit zu schenken. Dagegen geruhte der Kaiser
das orthodoxe Heil-Geist-Kloster zu besuchen, wo er von
dem Metropoliten und der gesammten Geistlichkeit be-
grüßt wurde, worauf er die Gouverneure und übrigen
obersten Civilbeamten empfing. Der Kaiser geruhte mit
der Revue vollkommen zufrieden zu sein, und in der That
war es auch staunenswerth, auf welche Weise die Re-
servebataillone, die kaum formirt, und über ein Jahr in
kleine Abtheilungen zertheilt im ganzen Gebiet zerstreut
gewesen waren, sich nach so kurzer Zeit mit solchem Erfolge als vollkommen kriegserfahrene Truppen Sr. Majestät
präsentiren konnten. Trotzdem es mich große Anstrengung
kostete, begleitete ich doch den Kaiser zu Pferde. Der
Monarch sprach sämmtlichen Truppentheilen seine Zu-
friedenheit aus, wandte sich dann unerwartet gegen mich,
commandirte darauf dem Permschen Regiment: Präsen-
tirt das Gewehr! würdigte mich der Salutirung und der
Ernennung zum Chef des genannten Regiments. Dies
traf mich so unvorbereitet, daß ich es nicht gleich fassen
konnte, welchem Umstande ich die Ehrenbezeigung des
Kaisers vor der Fronte zu verdanken hatte, so daß, als
ich nach der Revue mit dem Kaiser in einem Wagen

fortfuhr, ich ihm kein einziges Wort über dieses für mich
so unerwartete Ereigniß sagte und erst nach der Abreise
des Kaisers aus Wilna erfuhr, daß mir ein Regiment
verliehen und nach mir benannt worden war, — eine
Auszeichnung, welche beim Militär für eine der größten
gilt, die man Commandirenden von Truppen verleihen
kann.

In Dünaburg geruhte der Kaiser das Diner einzu-
nehmen und darauf wurde eine Revue über zwei dort
zusammengezogene Regimenter und Artillerie abgehalten.
Se. Majestät war auch dort mit den Truppen zufrieden
und befahl, mir auf telegraphischem Wege seinen Dank
auszusprechen.

Während des kurzen Aufenthalts des Kaisers in
Wilna wurde mir spät am Abend des 7. Juli 1864 die
Ehre zu Theil, Sr. Majestät persönlich Bericht erstatten
zu dürfen. Ich schilderte Sr. Majestät die gegenwärtige
Lage des Landes, betonte die Nothwendigkeit, in den von
mir zur Russificirung desselben ergriffenen Maßregeln
fortzufahren und den zur Zeit bestehenden Belagerungszustand nach wie vor aufrecht zu erhalten, und rieth, nur
ja keine Gnade und Nachsicht walten zu lassen, wie dies,
dem Vernehmen nach, in Anlaß der bevorstehenden Vermählung des Thronfolgers beabsichtigt werde. Augenscheinlich theilte der Kaiser vollständig meine Ansichten
und war mit Allem völlig zufrieden. Nur die Polen

und die römische Geistlichkeit waren unzufrieden, daß sie nicht nur der Aufmerksamkeit des Kaisers nicht gewürdigt worden waren, sondern, daß man ihnen nicht einmal den Zutritt zum Palais gestattet hatte, während Bauern, welche in Massen aus verschiedenen Gouvernements mit Dankadressen an den Kaiser herbeigekommen waren, von Sr. Majestät gnädig empfangen und ihnen ihre Verpflichtungen gegen die Krone und das Gesetz erläutert wurden.

Auf diese Weise übte die Durchreise des Kaisers durch Wilna in moralischer Beziehung den allergünstigsten Einfluß auf das Gebiet aus. Den Polen sank der Muth, und die Hoffnungen auf Begnadigungen schwanden für einige Zeit; aber die Partei der Feinde Rußlands in St.-Petersburg blieb nicht müssig; dort erhoben sich immer lautere Stimmen gegen das im nordwestlichen Gebiet angewandte Verwaltungssystem. Die Bande der Unzuverlässigen, den Interessen Rußlands feindlich Gesinnten verstärkte sich noch mehr im November 1864.

IV.

Im August 1864 traf auch mein neuernannter Adjunkt, der General Alexander Lwowitsch Potapow in Wilna ein. Meiner Krankheit wegen und weil ich gezwungen war, eine Mineralwasserkur zu gebrauchen, mußte ich ihm einen bedeutenden Theil der Verwaltung des Gebiets übergeben.

Es läßt sich annehmen, daß General Potapow schon damals geheime Aufträge von den höchsten Regierungspersonen hatte; denn obwohl er anfangs meine Verwaltungsmaximen vollständig zu theilen schien, wahrscheinlich um mein Vertrauen zu gewinnen, änderte er sich doch bald gänzlich und begann im Geheimen gegen die ertheilten Instructionen zu handeln, wobei er bemüht war, die Neigung der Polen durch mancherlei Nachsicht zu gewinnen. Aber alles dies geschah lange Zeit hindurch im Geheimen, ohne irgend welches Aufsehen, fast bis zu der Zeit, als ich, im März 1865, nach St.-Petersburg zu reisen und das Land für immer zu verlassen gedachte. Denn einerseits wurde es mit meinem Gesundheitszu-

stand immer schlimmer, andererseits überzeugten mich
die aus St.-Petersburg einlaufenden Nachrichten, daß der
Kaiser von der Partei der „polenzenden" Russen gewonnen und offenbar gegen die von mir ergriffenen
Maßregeln und mein Verwaltungssystem abgekühlt war.
Dabei waren alle obersten Petersburger Machthaber
geneigt, für die Rebellen um Gnade zu bitten, wogegen
ich, trotz der in St.-Petersburg vorherrschenden polnischen
Strömung, immer gekämpft hatte. Meine Unnachgiebig-
keit reizte die dortigen Gewalthaber noch mehr gegen
mich auf, und dazu kam noch, wie anzunehmen, daß
Potapow durch verschiedene geheime Rapporte den ganzen
Gang der Verwaltung des nordwestlichen Gebiets von
der unvortheilhaftesten Seite darzustellen bestrebt war.

Der Fortgang der Bauernreformen im Gebiet,
welcher in den erzielten Resultaten so erfolgreich war
und der Wiedereinführung des russischen Volksthums
in demselben zum Eckstein diente, gab zu den größten
Anschuldigungen Anlaß. Der Minister des Innern,
der Chef der Gensdarmen und viele andere höchstge-
stellte Personen stellten dem Kaiser vor, daß die für
die Bauernsache an Ort und Stelle wirkenden Beamten
gefährliche, socialistischen Ideen huldigende und jegliche
gesellschaftliche Ordnung zerstörende Leute seien. Diese
Beschuldigung wurde auch von der gesammten polnischen
Schljachta und den deutschen Baronen unterstützt, welche

einfahen, daß fie ferner nicht mehr ihr altes Syftem der Unterbrückung der Bauern fortfetzen, den Bauern die Länbereien', welche fie viele Jahre hinburch genügt hatten, nicht fortnehmen und fie aller Exiftenzmittel berauben konnten. Derartige Anklagen erfchütterten fichtlich das mir noch vor Kurzem in vollem Maaße erwiefene Vertrauen des Kaifers.

Im Hinblick auf alles biefes und in Berückfichtigung des Umftandes, daß die hauptfächlichften Anordnungen über die Organifation des Gebiets bereits zum größten Theil mit Erfolg ausgeführt waren und daß es der Regierung anheimgeftellt blieb, das Begonnene fortzufetzen, entfchloß ich mich, fofort nach der Rekrutenaushebung, b. i. im März 1865, nach St.-Petersburg aufzubrechen und zwar mit der feften Abficht, nicht mehr zurückzukehren. Denn ich hielt es für unziemlich, bei völlig zerrütteter Gefundheit eine folche Verwaltung fortzuführen, welche die Petersburger Machthaber umzuftürzen wünfchten, um das polnifche Element im Lande wieder zu befeftigen.

Mein Kampf mit St.-Petersburg konnte nicht mit Erfolg gekrönt fein, wie dies wohl früher gefchehen war, denn wie gerüchtweife verlautete, war auch der Kaifer in feinem Vertrauen zu mir erfchüttert. Ich wollte mich hiervon perfönlich überzeugen und langte am 19. März 1865, jedoch ganz krank, in St.-Petersburg an, fo daß ich mich dem Kaiser erst einige Tage nach meiner Ankunft vorstellen konnte.

In dieser Zeit besuchten mich Viele und ich wurde noch mehr von der Richtigkeit der zu mir gelangten Gerüchte über den Umschwung in den Ansichten der Regierung in Betreff des westlichen Gebiets überzeugt. So sehr waren alle früher vom Kaiser acceptirten Grundsätze erschüttert, daß mir mit Allerhöchster Genehmigung mitgetheilt wurde, es sei der Wille Sr. Majestät, viele gemäß Urtheilsspruch der Kriegsgerichte nach Sibirien verbannte Rebellen zu begnadigen nnd sogar vielen Derjenigen, die in die inneren Gouvernements verbannt worden, die Rückkehr in das westliche Gebiet zu gestatten. Die obersten Staatsbeamten wollten, in Anlaß der in Kürze bevorstehenden Vermählung des Thronfolgers (des verstorbenen Großfürsten-Thronfolgers Nikolai Alexandrowitsch), den Kaiser wiederum zu dem System allgemeinen Verzeihens verleiten.

Die Kurzsichtigkeit oder besser gesagt, Blindheit der dem Kaiser nahestehenden Personen war so groß und ihre Anhänglichkeit an die europäischen, Rußland feindlichen Ideen überwog so sehr das natürliche Gefühl jedes ehrlichen Mannes, sein Vaterland zu lieben und Alles für das Wohl desselben zu opfern, daß sie entschlossen waren, hartnäckig darum nachzusuchen, daß dem nordwestlichen Gebiete alle früheren, von der Regierung verliehenen Vorrechte zurückerstattet würden, damit die polnische Propaganda freies Spiel hätte und das polnische Element in demselben wieder befestigt würde. Denn sie erkannten in ihrer Blindheit dieses Land nicht für ein russisches an und waren bestrebt, ihm im Sinne Wielopolski's, dessen Ansichten sie bis auf den heutigen Tag (April 1866) theilen, Autonomie zu verleihen.

Die Hauptpersonen, welche in diesem Sinne handelten, waren: Der Minister des Innern Walujew, ein Mann nicht ohne Fähigkeiten, aber Kosmopolit und nur von dem einen Gedanken und Wunsche beseelt, in Europa Lob und Ruhm zu ernten, selbst wenn dies Rußland zum Schaden gereiche*). . . . .

Fürst Wassili Andrejowitsch Dolgorukow, Chef der Gensdarmen, ein ehrlicher und guter Mensch, aber im höchsten Grade unbegabt, ohne irgend welche bestimmte Ueberzeugungen, wenn auch persönlich dem

*) Hierzu bemerkt die Redaction der „Russkaja Starina" u. A., daß, im Gegensatz zu den in seinen Memoiren ausgesprochenen Urtheilen, Graf Murawjew sich nicht nur bis zu seiner Versetzung nach Wilna, sondern auch in Wilna selbst bis zur völligen Niederwerfung des Aufstandes (Mai bis September 1863) nicht anders als mit hoher Anerkennung über die eifrige Mitwirkung Walujew's bei der Sache der Pacification des westlichen Gebiets ausgesprochen habe. „Wir haben" — bemerkt die Redaction — „die Beweise in unseren Händen und genaue Copieen von dem amtlichen eigenhändigen Schreiben M. N. Murawjew's an den damaligen Minister des Innern, und zwar aus demselben Jahre 1863, für welches

Kaiser ergeben; aber in Folge seines schwachen Charakters
und geringen Verstandes von kosmopolitischen Ideen

Murawjew im Jahre 1866 seine Blitze auf den Minister schleuderte.
Was schrieb Murawjew seinem angeblich geschworenen politischen
Gegner? Die Briefe Murawjew's an Walujew lauten:

1.

Wilna, 28. Mai 1863.

— Peter Alexandrowitsch! Die Unbotmäßigen fangen sichtlich
an sich zu beruhigen. Einige Hinrichtungen haben die erwünschte
Wirkung hervorgerufen: alle Einwohner des Gouvernements wurden
hiervon in Kenntniß gesetzt. Ich meine, daß man jetzt für einige
Zeit mit der Vollstreckung solcher Strafurtheile wird einhalten
können.

Ich gestehe, daß es sehr schwer und traurig ist, Todesurtheile
confirmiren zu müssen, die fast absichtlich nahezu an sechs Monate
ohne Entscheidung gelassen worden sind. Die Straflosigkeit ging so
weit, daß Niemand in Wilna glauben wollte, ich würde mich dazu
entschließen, den Befehl zur Execution des Todesurtheils zu ertheilen. Ich war aus diesem Grunde gezwungen, noch zwei Urtheile vollstrecken zu lassen, und jetzt, nach der Hinrichtung Kolyszko's und des Grafen Plater in Dünaburg, ist der Partei der Rebellen, wenigstens hier in Wilna, und besonders der Geistlichkeit
der Muth ganz gesunken. —

Am 30. soll eine große Procession aus Anlaß eines Feiertags
stattfinden; wir wollen sehen, wie dieselbe verlaufen wird; ich habe
die Genehmigung zu dieser Prozession nur unter Verantwortlichkeit der Geistlichkeit ertheilt.

Vom Bischof Krassinski habe ich noch keine Antwort erhalten;
er ist aus lauter Furcht erkrankt. Aber ich werde von ihm schleu-
nige Anordnungen verlangen.

In den Kreisen beginnt die Formirung von Dorfwachen; die
Bauern sind überall auf Seiten der Regierung und gegen die Insurgenten erbittert. Wenn es gelingt, ihnen Vertrauen zu der

beseelt und in seiner ganzen Handlungsweise vom Minister des Innern beeinflußt.

Regierungsautorität einzuflößen, so wird der Aufstand bald ganz unterdrückt sein. Jetzt verwende ich hierauf die größte Sorgfalt, und überall werden jetzt auf Grund der von mir ertheilten Instructionen besondere Militärkreisverwaltungen errichtet, welche die ländliche Bevölkerung vor den Gräuelthaten der Rebellen zu schützen haben.

Ich schreibe Ihnen nur kurz; meine Zeit reicht noch nicht aus, eine vollständige Uebersicht über die Lage des Landes auszuarbeiten, aber, allem Anschein nach, wendet sich die Sache zum Besseren. Das Königreich Polen ist nur noch immer das Haupthinderniß, von dort kommt alles Böse.

Ich bitte Sie, dem Kaiser über die Ihnen in diesem Briefe mitgetheilten Nachrichten, wenn Sie dieses für nöthig erachten sollten, zu berichten.

Es ist über 1 Uhr Nachts; ich schließe meinen Brief, es ist Zeit zum Ausruhen.

Empfangen Sie die Versicherung meiner aufrichtigsten Ergebenheit und Hochachtung.

M. Murawjew.

Dieser Brief wurde dem Kaiser Alexander II. vorgelegt. Der Kaiser befahl, dem General Murawjew mitzutheilen, daß Se. Maj. für alles Geschehene nur seinen Dank aussprechen und sich darüber freuen könne, daß Aussicht auf Besserung der Lage der Dinge vorhanden sei, und Erfolg und die nöthigen Kräfte wünsche.

2.

Wilna, 31. August 1863.

Peter Alexandrowitsch! Sehr dankbar bin ich Ew. Excellenz für Ihre Fürsprache in Bezug auf die Belohnungen. Ich bin von allen bereits benachrichtigt worden außer von denen, die aus dem Domänenministerium zu erwarten sind. Ich begreife nicht, woher

10*

Der Minister des Auswärtigen, Fürst A. M. Gortschakow, im vollen Sinne des Wortes ein Schwätzer,

dies kommt; unmöglich kann Alexander Alexejowitsch (Selëny) meine Bitte nicht erfüllen wollen.

Gestern erhielt ich die Nachricht, daß mir Allergnädigst der St. Andreas-Orden verliehen worden. Das hat einen günstigen Effect hervorgerufen und sichtlich nahm auch die wohlgesinnte polnische Partei Antheil daran. Ja, mir ist diese huldvolle Aufmerksamkeit des Kaisers theuer, welche ich natürlich mit allen Kräften mir zu erhalten und zu verdienen bestrebt sein werde.

Die Dinge nehmen einen immer günstigeren Verlauf. Alles nähert sich seinem Ende, unterwirft sich, sogar im Kownoschen Gouvernement zerstreuen sich die Insurgentenbanden und der Verkehr ist wiederhergestellt. Nach Publicirung der Begnadigung kehren Hunderte von Aufständischen reumüthig zurück. Man muß jetzt bereits an die zukünftige Organisation des Landes denken, um für den Frühling neuen Versuchen der revolutionären Partei vorzubeugen. Das ist keine leichte Aufgabe und man muß sich bald mit ihr beschäftigen.

Ich wünschte mit dem General Potapow über die Organisation von Gensdarmeriecommandos in den Kreisen Rücksprache zu nehmen, denn solches scheint, um in Zukunft Unordnungen vorzubeugen, nothwendig zu sein. Aber leider kann Potapow jetzt nicht herkommen. Ich werde über diese Angelegenheit mit ihm in Correspondenz treten, ebenso wie über die Möglichkeit, die geheimen Gesellschaften aufzuheben, die im ganzen Gebiet bestehen, und endlich über die mit diesen in Verbindung stehenden geheimen Vereine in den großrussischen Gouvernements, besonders aber auf den Militärakademien und den Universitäten; denn fast die gesammte hiesige Jugend gehörte zur allgemeinen Verschwörung und füllte alle, von unseren desertirten Officieren commandirten Banden an.

Jetzt ist der Aufstand fast ganz unterdrückt, aber man muß die Wurzel desselben ausrotten. Unsere Hauptstütze in diesem Gebiet ist die Landbevölkerung; man muß ihre Lage schleunigst regeln.

der indessen den Wunsch und Trieb in sich hat, Russe
zu sein. Er gab Europa damals nach, als man hätte

Sie schreiben mir, daß Sie meine Ansichten über die Ausdehnung des Gesetzes vom 1. März 1863 (über den obligatorischen Verkauf des Bauerlands) auf Weißrußland nicht theilen; aber ich
gestehe, daß ich jetzt noch mehr von der Nothwendigkeit dieser Maßregel
überzeugt bin. In Weißrußland sind die polnischen Gutsbesitzer uns
wenn möglich noch feindlicher gesinnt als in den litauischen Gouvernements: es ist daher durchaus nothwendig, und zwar so bald als
möglich, die Bauern von jeder Abhängigkeit von diesen zu befreien.
Ich sende in dieser Angelegenheit einen Antrag ein und ersuche Sie,
die Sache zu befürworten. Diese Maßregel ist jetzt durchaus nothwendig, um so mehr, als sie schon in den nordwestlichen Gouvernements eingeführt ist. Man muß sich entschließen, die Sache auf
einmal mit allen Gutsbesitzern polnischer Herkunft in's Reine zu
bringen, indem man auf fester Grundlage die Unabhängigkeit der
ländlichen Bevölkerung sichert.

Unsere einzige Stärke und Stütze in diesem Gebiet ist die
ländliche Bevölkerung; wenn wir sie außer Acht lassen, so müssen
wir für immer auf das ganze Gebiet verzichten, denn die hiesigen
Gutsbesitzer und die römisch-katholische Geistlichkeit werden uns stets
feindlich gesinnt sein; man muß sie ganz und gar schwächen, indem
man sie an der für sie empfindlichsten Seite faßt: ihren Ein-
künften und ihrer Herrschaft über die Bauern. Uebrigens
werde ich Ihnen seiner Zeit über alles dieses meine näheren Erwägungen mittheilen.

Sie schreiben mir, daß Sie Makow nach Kiew abzucomman-
diren wünschen (M. war von Walujew nach Litauen entsandt
worden, um Murawjew bei der Regelung der bäuerlichen Verhältnisse behilflich zu sein); ich bitte sie inständigst, ihn hier zu lassen,
er ist mir vollkommen unentbehrlich, denn erst jetzt haben die
Centralcommissionen ihre Thätigkeit begonnen und sie müssen geleitet
und überall muß ihre Zahl und die der Friedensrichter verstärkt

handeln müssen, und befolgte im Wesentlichen das System des Herrn Walujew, d. h. er hielt es für nothwendig, dem Königreich Polen, auch die westlichen Gouvernements nicht ausgeschlossen, völlige Autonomie zu verleihen. Als aber, im Jahre 1863, ganz Rußland seine Stimme erhob und von der Regierung Selbständigkeit und festen Widerstand gegenüber Europa und allen

---

werden. Ich selbst habe keine Zeit, mich hiermit zu beschäftigen, aber die Sache ist äußerst wichtig und muß in der ganzen ungeheuren Ausdehnung der sechs Gouvernements geleitet werden. Ich kann dies nur Makow anvertrauen; mit seiner Abreise von hier würde die ganze Sache in's Stocken gerathen und wir würden neue Unordnungen in diesem Gebiete riskiren. Es ist besser, an einem Orte eine Sache gründlich durchzuführen, als sie an zwei Orten zu beginnen und nichts zu thun. Außerdem ist das litauische Gebiet in politischer Beziehung schwieriger und gefährlicher für die Regierung, und daher müssen wir uns ausschließlich mit ihm beschäftigen. Nochmals bitte ich Sie, Makow hier zu lassen. Ohne ihn stehe ich nicht für den Erfolg der Sache. Er wird selbst auf drei Tage nach St.-Petersburg fahren und Ihnen Alles persönlich auseinandersetzen

Ich schließe meinen Brief, indem ich Ihnen meinen aufrichtigen Dank für die geneigte Förderung ausspreche, welche Sie sowohl meinem Gesuch über die Verleihung von Belohnungen als auch überhaupt allen, die mir anvertraute Verwaltung betreffenden Angelegenheiten haben angedeihen lassen.

Amurski (Graf Nikolai Murawjew-Amurski) war hier . . . . . Ich habe Ihnen bereits über Timaschew geschrieben; ich bin der Ansicht, daß er hier von Nutzen wäre. Was den Grafen . . . . . . anbelangt, so scheint er mir, soweit ich ihn kenne, hierher nicht zu passen.

Ich bitte die Versicherung meiner aufrichtigen Hochachtung und Ergebenheit entgegenzunehmen.

M. Murawjew.

so sehr beleidigenden und erniedrigenden, an Rußland
gestellten Forderungen, man kann wohl sagen, verlangte,
und als die Dinge in den nordwestlichen Gouvernements
einen befriedigenden Verlauf nahmen, d. h. der Aufstand
sichtlich unterdrückt war — da erst entschloß sich Fürst
Gortschakow, den europäischen Mächten selbständig ent-
gegenzutreten und alle ihre Forderungen zurückzuweisen.
Man kann nicht umhin, ihm hierbei volle Gerechtigkeit
widerfahren zu lassen. Mit dieser That schied er aus
dem Kreise der Dolgorukows aus und erwarb sich allgemeines Lob und die Zuneigung Rußlands, aber ungeachtet dessen stellte er sich in der Folge wiederum auf
die Seite seiner obenangeführten Genossen. Er brauchte
ihre Unterstützung auf der schlüpfrigen Laufbahn, denn
zu Ende des Jahres 1864 wurde das Vertrauen des
Kaisers zu ihm in Folge seiner unvorsichtigen Reden und
seiner maßlosen Eigenliebe (während des Aufenthalts
des Kaisers im Auslande) in bedeutendem Maße erschüttert, so daß der Fürst selbst eine Zeit lang dachte,
er werde nicht mehr im Amte verbleiben.

Außer den obenerwähnten befanden sich (in der
Zeit 1863—1866) in der Umgebung des Kaisers noch
einige Personen zweiten Ranges, die nichtsdestoweniger
in Betreff der polnischen Frage den allerschädlichsten
Einfluß ausübten.

Der Minister der Posten, Iwan Matwejewitsch
Tolstoi, ein im höchsten Grade unbegabter Mann, der

sich jedoch der Gunst des Kaisers erfreute, da er zu der
Zahl derjenigen jungen Leute gehörte, welche auf Befehl
des verstorbenen Kaisers Nikolai Pawlowitsch mit dem
Thronfolger zusammen erzogen wurden*). Obgleich
Tolstoi keinen directen Einfluß auf Staatsangelegen-
heiten besaß, so schadete er doch durch seine intimen
Gespräche mit dem Kaiser der russischen Sache und
hatte stets das Interesse der Polen im Auge.

Der Präsident des Minister-Comité's, Fürst Paul
Pawlowitsch Gagarin, ein zweideutiger und in seinen
Grundsätzen wankelmüthiger Mensch, welcher seine
Ueberzeugung den ihm mehr oder weniger vortheilhaft
erscheinenden politischen Verhältnissen gemäß änderte.
In den Jahren 1863—1864 wirkte Fürst Gagarin im
Interesse der russischen Sache; aber im Jahre 1865 ging
er vollständig zur Gegenpartei über, stand bald auf
dieser, bald auf jener Seite, je nach der Richtung,
welche der Kaiser in Bezug auf verschiedene Dinge
angab.

Graf Victor Nititisch Panin, Chef der Zweiten
Abtheilung, ebenfalls ein in seinen Ansichten schwankender,

<hr>

*) Ein Irrthum Murawjew's. Tolstoi wurde nicht gemeinsam
mit dem Thronfolger erzogen, sondern hatte denselben, auf Verordnung der Gräfin Tiesenhausen, auf dessen erster Reise in's Ausland begleitet.

wenn auch außergewöhnlich begabter Mann, aber
leider ein Wortverdreher, in dessen Reden selten das
Ende mit dem Anfang übereinstimmte. Er theilt die
Ansichten der europäischen und deutschen Partei, da er
eine Deutsche aus Livland zur Frau hat. Gegen die
russische Sache verhält er sich ziemlich kühl und gleichgültig und bemüht sich nur um die Gunst des Kaisers,
ohne dabei Rücksicht auf seine persönlichen Ansichten zu
nehmen.

Gleichfalls zu den einflußreichen Personen im Rathe
des Kaisers gehört der Präsident des Reichsraths-
Departements für Staatsökonomie, Generaladjutant
Konstantin Wladimirowitsch Tschewkin, ein kluger
Mann, mit Leib und Seele Russe und stets bereit, die
russische Sache zu fördern, doch leider ein kleinlicher
Mann, der während seiner langjährigen dienstlichen
Wirksamkeit nie etwas Nützliches zu Stande gebracht
hat und der Administration mehr ein Hemmschuh
gewesen ist.

Von den übrigen Ministern waren D. N. Samjätin, der Justizminister, und Melnikow, der Minister der Wegecommunicationen, anständige Männer,
doch wenig befähigt, irgend etwas Nützliches zu schaffen;
nichtsdestoweniger wirkten beide sowie der Generaladjutant Tschewkin beständig für die Befestigung
russischer Principien im nordwestlichen Gebiet und,

soweit möglich, gegen die Partei der Kosmopoliten und inneren Feinde Rußlands.

Aber die Hauptvertreter der russischen Sache im Rathe des Kaisers waren und sind (1863—1866) der Minister der Reichsdomänen, Generaladjutant Alexander Alexandrowitsch Selëny und der Kriegsminister, Generaladjutant D. A. Miljutin.

Selëny, ein gewandter, energischer, edler Charakter, mit Leib und Seele Russe, hatte sich mit Selbstverleugnung der Unterstützung des russischen Elements im nordwestlichen Gebiet und des von mir daselbst eingeführten Verwaltungssystems gewidmet. Ohne Rücksicht auf den heftigen Widerstand der obersten Machthaber, bestärkte er beharrlich den Kaiser in der Meinung, daß es nothwendig sei, das polnische Element im westlichen Gebiet zu bekämpfen. Mehr als einmal wurden seine wohlgemeinten und beharrlichen Anstrengungen vom Kaiser zurückgewiesen, aber er schrak nicht zurück und verfolgte stets dasselbe Ziel.

So sah auch der Kriegsminister D. A. Miljutin, ein bemerkenswerth kluger Mann, seit Ende 1863 den Abgrund, an welchen uns die polnische Partei und die russischen Kosmopoliten brachten. Die Ereignisse des Jahres 1863 änderten in vielerlei Hinsicht seine Ansichten und er war mit allen Kräften bestrebt — im Verein mit dem Generaladjutanten Selëny und seinem

Bruder, dem Staatssecretär Nikolai Miljutin, der behufs Organisation der Bauernangelegenheiten und der russischen Verwaltung nach dem Königreich Polen entsandt worden war — den polnischen Einfluß sowohl in St.-Petersburg als auch im westlichen Gebiet zu vernichten.

In solcher Lage fand ich die St.-Petersburger Verwaltung bei meiner letzten Reise dorthin im Jahre 1865. Ich will nicht von Suworow sprechen, weil er ein vollständig einfältiger Mensch und von ihm bereits früher die Rede gewesen ist. Durch seine lügenhafte Geschwätzigkeit schadete er der russischen Sache beständig in allen Schichten der Gesellschaft und sogar am Hof, wo man mit Nachsicht sein naives, aber nichtsdestoweniger für die allgemeine russische Sache schädliches Gewäsch anhörte. Es muß noch bemerkt werden, daß damals die polnische Partei sich mit der deutschen vereinigte, welche ebenfalls in St.-Petersburg ihre einflußreichen Agenten und Vertheidiger besaß.

V.

Da ich eine derartige Situation in Petersburg vorfand und vollständig erkannte, daß unsere Regierung Europa und den Feinden im Innern des Reichs, die ein bedeutendes Uebergewicht in der öffentlichen Meinung in Petersburg hatten, zu Gefallen ihr bisheriges System zu ändern wünsche, und da ich erfuhr, daß der Kaiser ohne Mißvergnügen mein Gesuch um Enthebung von der Verwaltung des nordwestlichen Gebiets entgegennehmen würde, entschloß ich mich, bei der ersten Begegnung mit Sr. Majestät definitiv meine Ansicht über die ganze Sache auszusprechen.

Als ich einige Erleichterung in meinem Gesundheitszustand fühlte, erbat ich mir eine Audienz beim Kaiser und wurde am 24. März 1865 von Sr. Majestät empfangen. Hiebei hatte ich die Absicht, wie ich Rußland und meinem Kaiser treu und wahr gedient hatte, auch weiter zu dienen, aber nicht über meine Zeit hinaus.

Mit solchen Gedanken und festen Vorsätzen erschien ich beim Kaiser, von der Ueberzeugung durchdrungen, daß

ich mit Selbstverleugnung, Eifer und völliger Ergebenheit
für den Kaiser und Rußland meine Pflicht erfüllt habe.

Der Kaiser empfing mich, wie gewöhnlich, huldvoll
und sprach mir zum Willkommen seinen Dank für alles
Geschehene aus. Als ich ihm den Zustand des Landes
zu schildern begann, hörte er mich schweigend und, wie
mir schien, ziemlich gleichgiltig an, wobei ihm wie un-
willkürlich, einige Vorwürfe entschlüpften, daß im Gebiet
einige russische Beamte nicht gut seien, daß unter den
Friedensrichtern sich viele Socialisten befinden und daß
hierunter die gesellschaftliche Ordnung leide; bei dieser
Gelegenheit fällte er auch ein ungünstiges Urtheil über
einige Gouverneure. —

Aus den Worten des Kaisers, die mit seiner sonstigen
Delikatesse im Umgange (besonders mit mir, der ich die
mir übertragene schwere Aufgabe der Unterdrückung des
polnischen Aufstandes so erfolgreich erfüllt hatte) im
Widerspruch standen, überzeugte ich mich noch mehr von
der Richtigkeit der Nachrichten, welche mir über eine
Sinnesänderung des Kaisers in Bezug auf mich und
mein Verfahren zugegangen waren. Ich sah, daß es der
polnischen Partei und den mit ihr sympathisirenden
obersten russischen Machthabern gelungen war, den Kaiser
für sich zu gewinnen. Ich sah, daß mein fernerer Dienst
im nordwestlichen Gebiet der Sache keinerlei Nutzen
bringen, und daß ich bei Erfüllung der zur Russificirung

des Gebiets erforderlichen Maßnahmen bei jedem Schritt
auf Hindernisse stoßen, daß die polnische Partei trium-
phiren und ich nach Unterdrückung der polnischen Rebellion
im Gebiete in der Folge gezwungen sein würde, unter
Demüthigungen und großen persönlichen Unliebsamkeiten
das Gebiet zu verlassen.

Nachdem ich die erwähnten Worte des Kaisers angehört hatte, widerlegte ich dieselben entschieden und wies
nach, daß dies nur Erfindungen der polnischen Partei
in Petersburg und einiger zur Regierung gehörenden
Personen, deren Namen ich auch nannte, seien, und fügte
darauf hinzu, daß ich es für geeigneter erachtete, wenn
der Kaiser sich einen Andern aussuchen wollte, der mich
ersetzen könnte; daß meine zerrüttete Gesundheit mir
nicht gestatte, mit Erfolg die Verwaltung weiter zu
führen; daß ich, meiner Meinung nach, meine Pflicht
erfolgreich und gewissenhaft erfüllt habe, indem ich den
Aufstand unterdrückt und nach Möglichkeit Alles zur Befestigung der russischen Nationalität im Gebiet gethan
habe und daß ich daher berechtigt zu sein glaube, Se.
Majestät um Dispensation von den schweren Obliegen-
heiten, welche ich zwei Jahre hindurch im nordwestlichen
Gebiet erfüllt habe, und um Erholung behufs Herstellung
meiner Gesundheit zu bitten.

Der Kaiser dankte mir huldvoll für alles Geschehene
und willigte, wie es mir wenigstens schien, ohne jegliches

Bedenken und sogar mit einigem Vergnügen in mein
Gesuch ein, bat mich aber zugleich, mich nur noch ein
wenig, um ihm Zeit zur Wahl eines Nachfolgers zu
lassen, zu gedulden. Darauf wandte sich der Kaiser an
mich mit der Frage, wen ich wohl zum Generalgouverneur von Wilna vorschlagen würde?

Ich wies ihn auf zwei Personen hin: auf Chruschtschow, meinen Adjunkten in der Militärverwaltung, und
auf den Generaladjutanten Kaufmann, dessen Zuverlässigkeit und russische Tendenzen ich bei seinen wiederholten Missionen nach Wilna und Warschau kennen zu
lernen Gelegenheit gehabt hatte. Ueber General Kaufmann, als Director der Kanzlei des Kriegsministeriums,
hatte ich vorläufige Rücksprache mit D. A. Miljutin genommen, welchen ich ebenso wie den Generaladjutanten
Selëny vorher davon in Kenntniß gesetzt hatte, daß ich
entschieden darauf bestehen würde, vom Kaiser meiner
Stellung als Generalgouverneur enthoben zu werden.
Ueber Potapow äußerte ich mich dahin, daß er, meiner
Ansicht nach, für dieses Amt nicht tauglich sei und weder
bei dem Erstgenannten, noch auch bei Letzterem als Gehilfe werde fungiren wollen.

Der Kaiser erwiderte mir, daß, sobald er Potapow
den Befehl ertheilen würde, dieser ihn auch ausführen
werde, denn Chruschtschow werde, wenn auch nur für
einige Zeit, einen Gehilfen in der Civilverwaltung

brauchen. Der Kaiser geruhte noch sich sehr vortheilhaft über Chruschtschow und besonders über Kaufmann zu äußern.

Hierauf besprach der Kaiser noch Einiges mit mir über die Verwaltung des Gebiets im Allgemeinen, aber sehr gnädig und ohne die geringsten Vorwürfe zu erheben, obschon ich ihm sehr scharf alle schädlichen Versuche der polnischen und deutschen Partei, welche die Befestigung der russischen Macht im nordwestlichen Gebiet verhindern wollten, darstellte, wobei ich Sr. Majestät erklärte, daß für uns das Land nur durch Waffengewalt zu behaupten sei und daß es jetzt mit Hilfe des moralisch-politisch-religiösen russischen Elements mit Rußland verschmolzen werden müsse; daß das Gebiet vor 30 Jahren, als ich Gouverneur in Mohilew und Grodno war, russischer war und daß es jetzt ganz polonisirt sei, Dank den Administratoren des Landes, welche die Bedürfnisse Rußlands nicht begriffen und der schlauen polnischen Propaganda, welche die in Bezug auf die Polen erlassenen allgemeinen Regierungsmaßnahmen abzuschwächen trachtete, namentlich in den letzten zehn Jahren, nicht entgegenzuwirken verstanden. — Der Kaiser war hiermit nicht ganz einverstanden, insbesondere damit nicht, daß das Gebiet in der letzten Zeit polnischer geworden sei. — Ich bewies es ihm jedoch durch Thatsachen und bat ihn bringend, das jetzt bestehende System zur Erneuerung der

Orthodoxie und russischen Nationalität im Lande nicht fallen zu lassen, wobei ich Sr. Majestät abermals die Nothwendigkeit vorstellte, die Grenzen zwischen dem Königreich Polen und den westlichen Gouvernements wiederherzustellen, da es geboten sei, den Bewohnern dieser Gouvernements durch die That zu beweisen, daß die Regierung den Gedanken einer Vereinigung der- selben mit dem Königreich Polen garnicht aufkommen lasse; aber auch diesmal verwarf der Kaiser meinen Vorschlag.

Nach längerem Gespräch, das von Seiten des Kaisers höchst gnädig geführt wurde, geruhte Se. Majestät mich zur Tafel zu laden, aber ich war so ermüdet, daß ich um Dispensation hievon bat und nach Hause zurückkehrte.

An demselben Tage besuchte mich D. A. Miljutin und Selény, welchen ich die allendliche Entscheidung der Sache mittheilte.

Als ich das Land verließ, wußte ich sehr gut, daß die Nachricht von meiner Verabschiedung auf die Russen den ungünstigsten Eindruck machen, bei den Polen aber, sowohl im westlichen Gebiet als auch in Petersburg große Freude hervorrufen würde; andererseits war ich auch davon überzeugt, daß die unsinnige Freude der Polen große Unzufriedenheit bei den Russen erregen und daß sich der Kaiser selbst bald von der Nothwendigkeit über- zeugen würde, strenge und energische Maßnahmen bei

Dictator von Wilna.   11

der Verwaltung des westlichen Gebiets in Anwendung zu bringen.

Einer solchen Wendung waren die Umstände selbst günstig.

An Stelle des Kiewschen Generalgouverneurs, General-adjutanten Annenkow, welcher bekanntlich seines beschränkten Verstandes wegen fast gar keine Maßregeln zur Unterdrückung des polnischen Elements in den ihm anvertrauten Gouvernements ergriff, wurde der General-adjutant Bezak ernannt, welcher fest entschlossen war, das von mir befolgte Verwaltungssystem auch in dem ihm anvertrauten Gebiete einzuführen. Die General-adjutanten Miljutin und Selёnmy unterwiesen ihn und schafften ihm alle Mittel zur Befestigung der russischen Nationalität in diesem Gebiete; obgleich der Minister des Innern seinerseits bemüht war, dieses zu hintertreiben, waren doch seine Bemühungen vergeblich, um so mehr, als die Kundgebungen der Freude und die Manifestationen der Polen über mein Verlassen des Gebiets bereits den Kaiser in bedeutendem Maße beunruhigten und ihn veranlaßten, schleunigst einen Nachfolger für mich zu ernennen.

Der Kaiser war entschlossen, den Generallieutenant Chruschtschow zu erwählen, einen ehrlichen, echt russischen Mann, welcher vollkommen meine Ansichten über die Nothwendigkeit der Vernichtung des polnischen

Elements im Gebiete theilte, aber selbstverständlich noch wenig mit der Civilverwaltung vertraut war; aus diesem letzteren Grunde beabsichtigte der Kaiser ihm zeitweilig den General Potapow als Gehilfen beizugeben. Es war offenbar, daß Potapow nicht lange in diesem Amte bleiben durfte, denn er war, wie oben dargelegt, von der polnischen Partei gewonnen und stets bemüht, einigen Regierungsautoritäten in St.-Petersburg zu Gefallen, sich populär zu machen.

Der Minister des Innern wünschte sich diese Umstände zu Nutzen zu machen und beantragte, angeblich im Interesse der Sache, beim Kaiser: in Wilna eine zwiefache Verwaltung einzusetzen, d. h. Chruschtschow zum obersten Chef des Gebiets zu ernennen, und Potapow, in der Eigenschaft eines Adjuncten, mit der stellvertretenden Ausübung der Pflichten eines Generalgouverneurs zu betrauen. Mit einem Worte, er wollte eine sich widersprechende und in der Praxis unmögliche Verwaltung schaffen, während gerade für dieses Gebiet, mehr als für irgend ein anderes, eine feste, concentrirte Verwaltung im vollen Sinne des Wortes erforderlich ist. Walujew arbeitete in seinem Sinne bereits eine Instruction aus, welche er auch dem Kaiser vorlegte.

Als der Kriegsminister von den auf Schwächung der Macht des obersten Chefs des Gebiets, unter dessen Befehl gleichzeitig auch alle dort locirten Truppen

11*

standen, gerichteten Bestrebungen des Ministers des Innern erfuhr, machte er dem Kaiser energische Vorstellungen über die Unzulässigkeit dieses Projects, und da inzwischen die beunruhigendsten Gerüchte über polnische revolutionäre Manifestationen im westlichen Gebiet bis zum Kaiser drangen, entschloß sich Se. Majestät, auf Vorschlag D. A. Miljutin's, den Generaladjutanten Kaufmann an Ort und Stelle zu entsenden, damit sich dieser von der Wahrheit der ungünstigen Gerüchte überzeuge und die vorläufige Zustimmung Chruschtschow's und Potapow's in Bezug auf die Ausführung der Walujew'schen Combination erlange.

Kaufmann wurde vier Tage vor Ostern, d. i. am 31. März 1865, abgesandt, und bis zu seiner Rückkehr wurde die Ausfertigung des Befehls über die Ernennung Chruschtschow's sistirt.

Generaladjutant Kaufmann kehrte am Tage vor Ostern zurück und brachte die allerungünstigsten Nachrichten über die neuerwachten Hoffnungen der Polen auf Milderung der Regierungsmaßnahmen, welche Hoffnungen durch die absichtliche Begünstigung des polnischen Elements seitens des Generals Potapow im Laufe der zwei (seit Bekanntwerden des Gerüchts, daß ich das Gebiet verlasse) verflossenen Wochen sichtlich genährt worden waren. Bei dieser Gelegenheit erklärte Generaladjutant Kaufmann dem Kaiser, daß die Combination des Ministers des Innern nicht realisirbar sei, baß Chruschtschow es unter solchen Umständen für unmöglich halte, die Verwaltung des Gebiets zu übernehmen und daß Potapow unter dem Namen eines Gehilfen, alle Rechte eines Generalgouverneurs zu genießen wünsche.

Potapow hatte — dadurch beunruhigt, daß die Combination des Ministers des Innern von Chruschtschow nicht acceptirt worden, und daß man ihn ohne jegliche besonderen Rechte als Gehilfe in Wilna belassen wolle — Kaufmann ein Schreiben zur Uebergabe an den Kaiser eingehändigt, in welchem er die Bitte aussprach, bevor irgend eine Entscheidung getroffen werde, ihm die Genehmigung zur Reise nach St.-Petersburg behufs persönlicher Erklärungen zu ertheilen.

Auf diese Weise wurde der bereits zum 4. April 1865 ausgefertigte Befehl über die Ernennung Chruschtschow's zum Generalgouverneur und meine Verabschiedung unter Verleihung der Grafenwürde, vertagt. Potapow wurde auf telegraphischem Wege davon in Kenntniß gesetzt, daß ihm die Reise nach St.-Petersburg gestattet sei.

———

VI.

Am 5. April 1865, um 1 Uhr Nachmittags wurde ich zu der von mir erbetenen Audienz vom Kaiser empfangen, da ich wünschte, daß zu den Feiertagen einigen Beamten Belohnungen verliehen würden und früher die betreffenden Anträge nicht hatte einreichen können; außerdem wünschte ich noch vom Kaiser die endgültige Entscheidung über das von mir verlassene Gebiet zu erfahren.

Der Kaiser empfing mich ziemlich kühl, und als ich noch einmal auf die Lage des Gebiets zurückkam, schwieg er, ohne besondere Einwände zu erheben, nur bemerkte er, daß unter den russischen Beamten viele unzuverlässige Personen seien. Ich wiederholte das schon früher von mir Gesagte und fügte noch hinzu, daß unter der großen Masse von 1000 in das Gebiet gekommenen Beamten natürlich auch einige unzuverlässige sein müßten, daß diese aber sofort zurückgeschickt worden seien, und daß die größte Zahl von Unzuverlässigen, welche durchaus nicht bemüht waren, bie gute Ordnung im Gebiet zu fördern, vom Ministerium des Innern geschickt worden sei.

Der Kaiser theilte mir auch mit, daß er Potapow nach St.-Petersburg berufen habe und machte mich mit der Combination des Ministers des Innern in Bezug auf die Organisation der dortigen Verwaltung bekannt.

Ich wies Sr. Majestät nach, daß es unmöglich sei, dieselbe in der Praxis auszuführen.

Der Kaiser schwieg.

Ich lobte den Generaladjutanten Kaufmann und äußerte, daß, wenn der Kaiser nicht Chruschtschow er- nennen wolle, es das Beste wäre, die Verwaltung mit allen Rechten dem General Kaufmann zu übertragen. — Während der Audienz unterlegte ich dem Kaiser ein kurzes Mémoire über Vorschläge betr. die Fortführung der von mir bei der Verwaltung des Gebiets ergriffenen Maßregeln. In diesem Mémoire hatte ich das Haupt- gewicht auf die Einführung des russischen Elements und auf die Verminderung des Einflusses des Katholicismus gelegt.

Der Kaiser behielt dieses Mémoire bei sich.

Endlich, am Schlusse der Audienz, überreichte ich dem Kaiser meinen Bericht mit der allerunterthänigsten Bitte, einige mir bisher unterstellt gewesene Beamte zu belohnen. Der Kaiser geruhte selbst die Liste der von mir zur Belohnung Präsentirten durchzusehen, wobei er äußerte, daß er Alle nicht belohnen könne, weil Einige bereits im verflossenen Jahre Belohnungen erhalten hätten und dadurch die hergebrachte Ordnung durchbrochen würde.

Ich entgegnete Sr. Majestät, daß die Verwaltung des nordwestlichen Gebietes selbst in den letzten zwei Jahren die gewöhnliche Ordnung durchbrochen habe und daß gewiß der zweijährige Dienst dort einem zehnjährigen Dienst im Innern des Reichs gleichkäme.

Darauf geruhte der Kaiser mir die Liste zurückzugeben und zu sagen, daß ich dieselbe der Ordnung gemäß dem Minister des Innern zur Veranlassung des Weiteren übergeben möchte.

Ich ersah hieraus den Wunsch des Kaisers, mein Belohnungsgesuch nicht zu genehmigen, nahm die Liste, legte sie in meine Mappe und sagte: „Da es Ew. Majestät augenscheinlich nicht gefällig ist, diese Beamten zu belohnen, wie Sie dies früher zu thun geruhten, so betrachte ich diese Sache bereits als erledigt."

In seiner steten Delikatesse und Herzensgüte mochte der Kaiser wohl fühlen, wie unangenehm mir seine abschlägige Antwort und der mir von ihm angewiesene Weg, durch Vermittelung des Ministers des Innern, sei, und daher nahm er mir wieder die Liste ab und sagte: „Lassen Sie sie bei mir, ich werde sie durchsehen."

Am andern Tage erhielt ich vom Minister des

Innern die Liste mit der Mittheilung zurück, daß der Kaiser geruht habe, alle meine Anträge zu genehmigen.

Nach den Gesprächen über Angelegenheiten des Gebiets fragte ich den Kaiser nach seinen Absichten in Bezug auf die Zusammenkunft mit der Kaiserin im Auslande. Er sagte mir, daß er mir hierüber noch nichts Definitives sagen könne, da die Vermählung des Thronfolgers für den Herbst in Aussicht genommen sei, daß übrigens die über den Verlauf seiner Krankheit einlaufenden Nachrichten nicht ganz günstig seien . . . . . Damals hatte der Kaiser noch nicht die betrübende Kunde von dem gänzlich hoffnungslosen Zustande des Thronfolgers, welche er noch an demselben Tage, den 5. April, erhielt.

Ich verabschiedete mich vom Kaiser und er dankte mir nochmals für die Verwaltung des Gebiets und für den Nutzen, welchen ich Rußland gebracht.

VII.

General Potapow traf in St.-Petersburg am 5. April ein, d. h. am Oftermontag, und kam am Abend deſſelben Tages, nachdem er dem Fürſten Dolgorukow einen Beſuch abgeſtattet hatte, ſehr aufgeregt durch den Gang der Dinge, zu mir. Er erklärte mir, daß er feſt entſchloſſen ſei, nicht anders der Gehülfe Chruſchtſchow's zu werden, als mit Gewährung aller Rechte eines Generalgouverneurs.

Ich bewies ihm die Ungereimtheit dieſes Verlangens und die Unmöglichkeit ſeiner Ausführung, und er verließ mich im höchſten Grade verſtimmt, wobei er mich ſeiner unveränderlichen Ergebenheit verſicherte und mir ſeine feſte Abſicht ausſprach, ohne jede Abweichung das von mir eingeführte Syſtem zu befolgen. Er war bemüht, alle während meiner Abweſenheit ſtattgehabten Abweichungen von den von mir ertheilten Vorſchriften zu verbergen . . . . .

Potapow theilte mir bei dieſer Gelegenheit die aus Nizza eingelaufene Trauernachricht über den hoffnungslosen Zustand des Thronfolgers mit und fügte hinzu, daß der Kaiser am 6. Abends nach Nizza reisen werde und der Fürst Dolgorukow aus diesem Grunde mich bitten ließe, mein Abschiedsgesuch bis zur Rückkehr des Kaisers aufzuschieben.

Ich trug dem General Potapow auf, dem Fürsten Dolgorukow zu sagen, daß, da meine Ernennung auf Befehl des Kaisers erfolgt und meine Entlassung bereits von ihm in Aussicht genommen sei, ich die endgültigen Befehle in dieser Angelegenheit von Sr. Majestät erwarten würde.

General Potapow theilte mir ebenfalls mit, daß für den 6. April um 12 Uhr Mittags eine besondere Berathung beim Kaiser angesetzt sei, zu welcher er berufen werden würde, behufs definitiver Entscheidung über die Combination des Ministers des Innern, welche, wie aus den Worten Potapow's zu ersehen war, auch von dem Fürsten Dolgorukow lebhaft unterstützt wurde. Potapow war, in der Hoffnung auf Erlangung der Rechte eines Generalgouverneurs, mit dieser Combination einverstanden und hoffte durch dieselbe sein System der Aussöhnung mit den Polen fortzusetzen, das Gebiet, wie früher, dem Einfluß der polnischen Propaganda zu überlassen und den beim Aufstande betheiligt gewesenen Personen, wie dies Fürst Dolgorukow und der Minister des Innern wünschten, Amnestie zu gewähren.

VIII.

Am 6. April 1865 Morgens fand in der That eine berathende Sitzung beim Kaiser statt, an welcher Fürst Dolgorukow und der Minister des Innern mit Hinzuziehung Potapows theilnahmen und in welcher die Art und Weise, wie die Combination Walujew's in Betreff der Rechte des Generals Potapow auf das Generalguberniat zur Ausführung zu bringen sei, besprochen wurde. Potapow legte Alles, was er nur irgend konnte, zum Nachtheil der jetzigen Verwaltung des Gebiets aus und wies die Nothwendigkeit nach, ihm aus diesem Grunde, wenn auch in der Eigenschaft eines Gehilfen, die vollen Rechte eines Generalgouverneurs zu ertheilen.

Der Kriegsminister, Generaladjutant Miljutin wartete, obgleich er auch zur Berathung geladen war, die Beendigung der vorhergehenden Unterhandlungen mit Potapow im Vorsaale ab, und wurde erst zur Berathung hinzugezogen nach der vorbereitenden Debatte und verschiedenen Erklärungen Potapow's. Dem Generaladjutanten Miljutin wurde, in Gegenwart des Kaisers, die Combination des Ministers des Innern vorgetragen, welche er entschieden verwarf, indem er es für unmöglich erklärte, zu dieser Zeit in diesem Gebiet die Militär- von der Civilautorität zu trennen.

Nachdem der Kaiser die ziemlich lange währenden Erklärungen beider Seiten angehört hatte, verwarf er die Combination des Ministers des Innern und entschied sich dahin, an Stelle Chruschtschow's — welchen Potapow dem Kaiser von der ungünstigsten Seite zu schildern bemüht war und von welchem er sagte, daß er nicht wohlerzogen genug sei, um ein Gebiet zu verwalten — Kaufmann zu ernennen. Der Kaiser befahl aber Potapow, bis auf Weiteres in Wilna zur Disposition des Generals Kaufmann zu stehen.

Nach Beendigung dieser Berathung trug der Kaiser Miljutin auf, mir persönlich seinen Wunsch mitzutheilen, daß ich die Verwaltung des Gebiets noch einige Zeit beibehalten möchte, bis aus Nizza, wohin er sich jetzt zu begeben gedenke, alle weiteren Anordnungen in Betreff meiner Entlassung vom Amte getroffen würden. Der Kaiser selbst reiste an demselben Abende eilig nach Nizza und trug dem Generaladjutanten Kaufmann, den er vorher noch zu sich berufen hatte, um ihn mit seiner Entscheidung bekannt zu machen, auf, mich zu besuchen und mir seine Ernennung zum Generalgouverneur des Gebiets mitzutheilen, was Kaufmann auch am folgenden Tage, 7. April, ausführte.

Am 6. April, nach der Berathung, war Potapow auf sehr kurze Zeit bei mir, ließ mich nichts von dem Vorgefallenen wissen, sondern sagte nur, daß er am Abend, in einem Zuge mit dem Kaiser, nach Wilna zurückkehre und daß er dort bis zur definitiven Ernennung eines Generalgouverneurs bleiben würde, wobei er noch hinzufügte, daß er gegen Abend noch zum Empfang weiterer Instructionen zu mir kommen würde.

In der That war Potapow am Abend des 6. April nochmals bei mir und fragte mich wegen einiger Anordnungen, welche er für nothwendig hielt und zu welchen ich ihm meine Zustimmung gab. Er bemühte sich, seine Absichten zu verbergen und versicherte mich seiner aufrichtigen Ergebenheit und seiner vollen Sympathie für das von mir eingeführte Verwaltungssystem, wobei er jedoch erklärte, daß er nicht im Gebiete bleiben und spätestens in drei Wochen mich auf dem Lande aufsuchen würde, wozu er meine Genehmigung erbat . . . .

Am 7. war General Kaufmann bei mir, erzählte mir von allen Vorgängen der letzten Tage und von seiner Ernennung, wie von allen Handlungen Potapow's, welcher mit allen Kräften bemüht gewesen war, die Macht des Generalgouverneurs für sich zu erlangen; da ihm dies nicht gelungen, sei er höchst unzufrieden darüber, daß er dem General Kaufmann zur Verfügung gestellt worden, was er durchaus nicht zu verheimlichen bestrebt war, indem er nach seiner Ankunft in Wilna verschiedenen Personen und sogar einigen Gouvernementschefs erzählte, er werde die Rechte eines Generalgouverneurs erhalten.

Aber ich habe schon genug vom General Potapow gesprochen . . . . Ich sage nur noch, daß er in den drei Wochen, in welchen er in Wilna (bis zur Veröffentlichung der Ernennung Kaufmann's) als Bevollmächtigter des Oberdirigirenden des Gebiets fungirte, alles Russische herabsetzte und verfolgte und bemüht war, sich die Neigung der Polen durch alle möglichen Concessionen, durch Nachgiebigkeit und Nachsicht gegen die polnischen und römisch-katholischen Tendenzen zu erwerben.

IX.

Am 17. April 1865 wurde in Nizza der Allerhöchste Befehl über die Ernennung des Generaladjutanten von Kaufmann zum obersten Chef des nordwestlichen Gebiets erlassen. Die Regierung befürchtete, daß, nachdem ich das Land verlassen, die Hoffnungen der Polen auf einen Systemwechsel wieder erwachen und in ihnen der Wunsch rege werden würde, neue Versuche zur Losreißung des Gebietes von Rußland zu unternehmen. Die Befürchtung der Regierung war begründet: die Polen freuten sich über meine Entlassung; überall hörte man laute Manifestationen der Freude und revolutionäre Hymnen; überall erblickte man Trauerkleider; die polnische Sprache wurde wiederum zur Umgangssprache der polnischen Bevölkerung; deutlich trat die Verachtung alles Russischen und sogar der russischen Beamten zu Tage; mit einem Wort — Alles bekundete die neue Aera des vom General Potapow beschützten polnischen

Lebens und polnischer Propaganda im Gebiete. Die Russen, welche sahen, daß die Früchte zweijähriger Anstrengungen zur Befestigung der russischen Nationalität und der Orthodoxie im Gebiet zu Grunde gehen mußten, waren in Verzweiflung, viele von ihnen wollten sogar das Gebiet ganz verlassen, aber das an mich gerichtete, inzwischen veröffentlichte Rescript, durch welches ich in den Grafenstand erhoben wurde, und in welchem klar und bestimmt alle meine Verdienste um Wiederherstellung des russischen Volksthums im Lande angeführt waren, ermuthigte einigermaßen die Russen im westlichen Gebiet wie überhaupt in Rußland; denn fast allenthalben und allgemein war in Rußland die Befürchtung, daß, sobald ich das nordwestliche Gebiet verlassen würde, es wieder ein Rußland fremdes und feindlich gesinntes werden würde. Die gütige Vorsehung aber, welche Rußland stets beschützt hat, entschied die Sache anders.

Bald sollten die Hoffnungen der Polen scheitern.

Obgleich der neuernannte Chef des Gebiets einen deutschen Namen trug, so war er doch ein echter orthodoxer Russe, der, als er sich entschloß, die schwere Last der Verwaltung des nordwestlichen Gebiets auf sich zu nehmen, sich das feste Versprechen gab, nicht von meinem System abzuweichen und, was es auch kosten möge, das russische Volksthum und die Orthodoxie im Gebiet zu befestigen.

Dictator von Wilna. 12

Die polnische und die deutsche Partei, sowohl in
St.-Petersburg wie auch an Ort und Stelle, waren
bestürzt, als sie sahen, daß die Wirksamkeit des neuen
Landeschefs keineswegs die Erwartungen rechtfertigte, mit
welchen sie sich in letzter Zeit geschmeichelt hatten. In
der That, es waren kaum zwei Wochen vergangen, als
General Kaufmann es für unnütz erachtete, den General
Potapow noch länger in Wilna zu lassen, welcher denn
auch ins Ausland reiste, und die Russen sahen, daß die
Geschäfte in früherer Weise mit voller Sympathie für
alles Russische und Orthodoxe seitens des neuen Landeschefs geführt wurden.

. Als ich auf diese Weise im April 1865 meine Wirksamkeit in der Verwaltung des nordwestlichen Gebiets
einstellte, war meine Gesundheit so zerrüttet, daß ich
nicht im Stande war, mich irgendwomit ernstlich zu beschäftigen. Ich war gezwungen, mich längere Zeit zu
erholen und mich einer Kur zu unterziehen, wozu ich auch
die Genehmigung des Kaisers erhielt. Aber mein poli-
tisches Leben, im Sinne der Befestigung der russischen
Principien im westlichen Gebiet, hörte auch während
meiner Abwesenheit von letzterem keineswegs auf.

Als ich das Gebiet verließ wurde mir eine moralische,
für mich Alles überwiegende Belohnung zu theil: die
Sympathie und Dankbarkeit Rußlands und aller

derjenigen Ruſſen, welche in das Gebiet gekommen waren
und ſich dem heiligen großen Werke der Ruſſificirung
deſſelben und der Befeſtigung der Orthodoxie in demſelben geweiht hatten.

Die Sympathie Rußlands und derjenigen ruſſiſchen
Männer, welche auf dem ruhmreichen Felde der morali-
ſchen und politiſchen Unterwerfung des nordweſtlichen
Gebiets mitwirkten, hörte nicht auf und fand ihren
Ausdruck in Adreſſen und Telegrammen an mich, in
Mittheilungen über alle, für die ruſſiſche Sache mehr
oder weniger erfreulichen Ereigniſſe im Gebiet: Errichtung
orthodoxer Kirchen, Uebertritt von Katholiken zur Orthodoxie, Eröffnung neuer Schulen; über Alles dieſes berichteten mir Ruſſen aus den verſchiedenſten Gegenden
des Gebiets und gedachten meiner bei allen Feſtlichkeiten
— mit einem Worte: mein Name wurde das Panier
der Ruſſen im Gebiet, und obſchon ich abweſend war,
wirkte ich moraliſch an der Vollbringung der begonnenen
ruſſiſchen Sache mit, höchſt anerkennenswerth vom neuen
Chef des Gebiets unterſtützt.

Unabhängig von allen dieſen Kundgebungen einzelner Ruſſen, erhielt ich zu verſchiedenen Zeiten, in den
Jahren 1865 und 1866 von verſchiedenen Ständen, Cor-
porationen und Verwaltungen prächtig ausgeſtattete Al-
bums mit den Porträts ruſſiſcher Männer, welche mir

12*

von zu diesem Zwecke besonders entsandten Deputationen
übergeben wurden.

Alle erwähnten Kundgebungen der aufrichtigen
Zuneigung der Russen und der Dankbarkeit für die mit
ihnen gemeinsam getragenen Mühen um den Nutzen des
Vaterlandes wurden s. Z. in verschiedenen Zeitungen
und Zeitschriften besprochen und darum schildere ich sie
auch hier nicht näher; doch kann ich nicht umhin, zu
sagen, daß alle diese Kundgebungen russischer Gesinnung
für mich die höchste Belohnung sind, welche ich in
meinem Leben erringen konnte. Diese Belohnung gilt
mir höher als Alles, was mir die Regierung geben
konnte, denn Bänder und Sterne sind gemeine Belohnungen, welche überaus häufig auf Bitten und durch
Intriguen, ohne Prüfung der wahren Verdienste verliehen
werden. Die Dankesäußerungen Rußlands, welches mich
so vieler Adressen zur Zeit des Kampfes mit der Rebellion
im nordwestlichen Gebiete und der Uebersendung von
Heiligenbildern aus verschiedenen Gegenden des Reichs
während meiner Verwaltung des Gebiets und sogar noch
später würdigte, wie auch die treuherzigen und innigen
Dankesäußerungen der Russen, deren ich noch lange,
nachdem ich die Verwaltung aufgegeben hatte, also als
ich schon gar keinen unmittelbaren Einfluß auf amtliche
Angelegenheiten ausüben konnte, theilhaftig wurde —

bilbeten eine solche Belohnung, die Alles übersteigt, was ein Mann erreichen kann, der sich dem Dienste des Vaterlandes gewidmet hat!

Gott hat mich mit diesem Glück gesegnet, welches — noch einmal sei es gesagt — alle Belohnungen der Regierung übertrifft, denn es kann Niemandem gegeben noch genommen werden.

Anhang.

Als der Kaiser mir die Verwaltung des nordwestlichen Gebiets, in welchem bereits allenthalben der
Aufstand wüthete, zu übertragen geruhte, lag in den
benachbarten Gebieten, ganz besonders im Königreich
Polen, die Autorität der Regierung ganz darnieder. Für
das südwestliche Gebiet wurde noch im December 1862
Generaladjutant Annenkow zum Generalgouverneur
ernannt, — ein Mann, welcher die Lage des ihm anvertrauten Landes nicht begriff und keinen richtigen Blick
für die polnische Intrigue im Allgemeinen und für das
beständige Streben derselben nach Rebellion besaß und
die Autorität der Verwaltung, welche übrigens bereits
unter seinem Vorgänger, Fürsten Wassiltschikow, längst
verwahrlost war, der Art schwächte, daß sogar Kiew,
die Wiege der Orthodoxie, das kaum 600 katholische
Einwohner beiderlei Geschlechts zählte, durch polnische
revolutionäre Manifestationen in Aufregung versetzt

wurde und die Russen daselbst keinen Schutz vor den
Polen fanden. In den Gouvernements Wolhynien und
Podolien verbreitete sich der Aufstand sehr rasch, ungeachtet des Widerstandes der vorherrschend der orthodoxen
Kirche angehörenden Landbevölkerung; in allen südwestlichen Gouvernements zählte man nur 450,000 Katholiken
bei einer orthodoxen Bevölkerung von ca. 5 Millionen.

Die Landbevölkerung erfreute sich, wegen der Schwäche
und des Unverstandes der Kiew'schen Oberverwaltung, des
segensreichen Willens des Kaisers über die Aufhebung der
Leibeigenschaft absolut garnicht. Das Allerhöchste Manifest vom 19. Februar 1861 war nicht nur nicht zur
Ausführung gebracht, sondern es waren, auf Ansuchen
der Gutsbesitzer, Truppen gesandt worden, um die Bauern
auf Grund unrichtig abgefaßter Confirmationsurkunden
zur Zahlung von erhöhten Abgaben zu zwingen; sie
wurden, unter dem Vorwande des Ungehorsams gegen
die Gutsbesitzer, welche größtentheils den Aufstand unterstützten, strengen Strafen unterzogen. Auf diese Weise
wurde die russische orthodoxe Bevölkerung, welche dem
Kaiser und Rußland ergeben war, fest an dem Glauben
ihrer Väter hielt, bei der Aufrechterhaltung der Ordnung
im Gebiet mitwirkte und alle gesetzwidrigen Handlungen
der Pane zur Kenntniß der Regierung brachte, wegen
des Unverstandes der unter dem Einflusse der polnischen
Intrigue und Propaganda stehenden örtlichen Obrigkeit

stark bedrückt, und sogar noch mehr als vor Erlaß des Manifestes vom 19. Februar 1861.

Die Unzufriedenheit der im südwestlichen Gebiete lebenden Russen und der ganzen russischen Bevölkerung war eine allgemeine.

Die Polen triumphirten, die polnische Richtung gewann die Oberhand und das südwestliche Gebiet, welches fast ganz von orthodoxen Russen bewohnt war, wurde ein Spielzeug der polnischen Intrigue und Rebellion. In vielen Kreisen bildeten sich Insurgentenbanden, doch wurden sie, Dank der Hilfe der Bauern, gezwungen, bald auseinanderzugehen, die Pane aber wurden der Regierung ausgeliefert. Die polnischen Rebellen erlaubten sich, so offen gegen die Regierung aufzutreten, daß im Juni 1863 auf dem Dampfer „Kumir" eine Menge neuangeworbener Insurgenten und Waffen aus Kiew nach dem Pinskischen Kreise transportirt wurden.

Der ganze nördliche Theil des Gouvernements Kiew und Wolhynien ward so sehr ohne jegliche Aufsicht gelassen, daß aus demselben beständig Insurgentenbanden in die benachbarten Kreise des Gouvernements Grodno und Minsk einfielen und, wenn sie auseinandergesprengt worden, sichere Zuflucht in den Wäldern an der Wolga fanden.

Nach der westlichen Seite hin bot das Königreich Polen ein noch traurigeres Bild dar: dort herrschte

vollständige Anarchie und der in aller Form constituirte
polnische Rzond. Von der Verwaltung des Marquis
Wilopolski ist schon oben die Rede gewesen; doch kann
ich den schädlichen Einfluß nicht mit Stillschweigen übergehen, den diese Verwaltung auf das mir Allerhöchst anvertraute Gebiet übte. Die Straflosigkeit, die völlige
Actionsfreiheit der Rebellen, die Auflösung alles Russischen und sogar der Truppen, die, nach dem Willen der
Obrigkeit selbst, alle nur möglichen Beleidigungen von
Seiten der Polen ertragen mußten — Alles dieses gab
den Polen solchen Muth und solche Frechheit, daß ihre
Banden beständig in das mir anvertraute Gebiet einfielen und auf diese Weise den sich im Lande entwickelnden
Aufstand förderten, davon nicht zu reden, daß der Warschauer Central-Rzond in seinen Händen die gesammte
revolutionäre Verwaltung des westlichen Gebiets concentrirte.

Es ist klar, daß der Aufstand zuerst im Königreich
Polen und hauptsächlich in Warschau selbst hätte unterdrückt werden müssen, worauf sich dann auch unsere
westlichen Gouvernements beruhigt hätten. Aber es kam
ganz anders: im Königreich Polen entbrannte der Aufstand
immer mehr und zu seiner Unterdrückung wurden gar
keine vernünftigen Maßregeln ergriffen, und daher war
ich gezwungen, nicht nur in den nordwestlichen Gouvernements gegen die Insurrection zu kämpfen, sondern

ihrer Entwickelung auch in den benachbarten Gebieten des Königreichs Polen und der südwestlichen Gouvernements Grenzen zu setzen. Ich mußte, ungeachtet des wachsenden Aufstandes in den benachbarten Gebieten, denselben in dem mir anvertrauten Lande unterdrücken und damit auch den Anfang zu der Bewältigung desselben im Königreich Polen machen.

Meine Lage war um so schwieriger, als ich gegen das ganze System der verkehrten Verwaltung des Königreichs Polen ankämpfen, mich gegen den mir seitens vieler russischen Machthaber in St.-Petersburg erwiesenen Widerstand vertheidigen und ein Verwaltungssystem inauguriren mußte, das allen den Ansichten entgegengesetzt war, von welchen unsere oberste Regierung im Laufe von Jahrzehnten beseelt gewesen, gleichzeitig aber auch den Aufstand zu unterdrücken hatte, von welchem das ganze Gebiet ergriffen war und welcher durch die obenerwähnten ungünstigen Umstände und durch die Hoffnung auf auswärtige Hilfe genährt wurde.

In der That unterstützte während dieser Zeit West-Europa, besonders England und Frankreich, offen die polnische Intrigue. Die polnischen revolutionären Comités wirkten öffentlich in vielen Städten Europas, sandten den Insurgenten Unterstützungen an Geld und Waffen, sowie Agenten, welche den Aufstand im Lande immer mehr anfachten.

Bei allen diesen Verhältnissen mußte ich so rasch als möglich den Aufstand unterdrücken, denn jede Verzögerung gab ihm neue Kraft, verstärkte die Hoffnung auf auswärtige Hilfe und auf baldige Kriegserklärung seitens Frankreichs, welches Rußland immer damit bedrohte.

Die baltischen Provinzen, welche unter der Verwaltung des schwachen, die Sache wenig begreifenden Generalgouverneurs Baron Lieven standen, zeigten den polnischen Revolutionären offene Sympathie. Letztere verbargen sich ungehindert mit Hilfe verschiedener falscher Pässe in Kur- und Livland, trugen Trauer- und verschiedene revolutionäre Abzeichen — kurz, sie übertrugen die polnische Propaganda in jenes Land, und die dortige Obrigkeit bemühte sich mit allen ihr zu Gebote stehenden Mitteln, die polnischen Emigranten zu verbergen und zu beschützen, ja versorgte sie sogar mit Pässen zur Reise ins Ausland.

Die Mitwirkung, welche die baltischen Provinzen den polnischen Revolutionären erwiesen, war so groß, daß ich mich veranlaßt sah, strenge polizeiliche Maßnahmen gegen die Einfuhr von Waffen und Pulver, sowie gegen die beständigen Eisenbahnfahrten der polnischen Emissäre von Riga nach Dünaburg zu ergreifen. Keine meiner Verhandlungen mit dem dortigen Generalgouverneur war im Stande, die feindlichen Gesinnungen der Autoritäten jenes Gouvernements gegen uns zu verringern.

Es war nothwendig, durch einen starken Schlag den Aufstand niederzuwerfen; man mußte den Polen und der ganzen Schljachta in dem Gebiet beweisen, daß die Regierung entschlossen sei, fest und unbeugsam zu handeln, indem sie Rebellion und Eidbruch strafte. Zu Anfang mußten nothwendigerweise Opfer fallen, um die Führer des Aufstandes in Schrecken zu setzen, welche gewohnt waren, unsere Regierung schwach zu sehen und sich vollständiger Straflosigkeit zu erfreuen. Nach Erlaß meiner strengen, positiven Befehle und der Anordnung von Maßregeln zur Unterdrückung der revolutionären Action im Gebiet fingen die polnischen Insurgenten, welche der Schwachheit der Regierung gegenüber muthig, dem energischen Auftreten derselben gegenüber aber feig und demüthig — padam do nòg — sind, bald an, sich der im Gebiet eingesetzten Obrigkeit zu unterwerfen, und der Aufstand begann zu erlöschen. Die größtentheils der orthodoxen Kirche angehörende Landbevölkerung, welche stets der Regierung ergeben war, begann allmälig den ergriffenen Maßregeln Sympathie entgegenzubringen und an der Unterdrückung des Aufstandes mitzuarbeiten. Es waren kaum drei Monate verflossen, als schon in dem größeren Theil des mir anvertrauten Gebiets einige Ruhe hergestellt war und die Rebellen moralisch und

phyfifch ermatteten und den Muth ganz verloren. Im
Königreich Polen, d. h. in feiner Verwaltung, trat endlich
eine Reaction ein; fie wurde gezwungen, das von mir
inaugurirte Syftem anzunehmen. Mit dem Ergreifen
von Maßregeln im Königreich Polen, welche den von
mir für das nordweftliche Gebiet erlaffenen Inftructionen
entfprachen, begann auch hier der Aufftand zu erlöfchen.

Europa fah bald ein, daß alle Erzählungen der
polnifchen Emigranten von einem beabfichtigten allgemeinen polnifchen Volksaufftande im gefammten weftlichen Gebiet nackte Lügen feien, daß das Volk und der
größere Theil der Bevölkerung keine Sympathieen für den
Aufftand hege und daß diefer Aufftand die Frucht der
Intriguen der fich in Europa herumtreibenden revolutionären Partei fei, welche wohl die Sympathieen der
polnifchen Schljachta und der Geiftlichkeit, aber durchaus
nicht die des Volkes befitze.

Die durch mich fo fchnell herbeigeführte Unterwerfung des Gebiets hemmte das Beftreben der euro-
päifchen Mächte, die angeblich unglückliche polnifche
Nation, welche als Nation in unfern weftlichen Gouvernements exiftirt, zu unterftützen, wodurch auch die Ex-
ceffe der polnifchen Revolutionäre in dem Königreich
Polen felbft bedeutend abgefchwächt wurden, befonders
als fich unfere Regierung, wenn auch fpät, d. h. Ende
Juli 1863, dazu entfchloß, durch diplomatifche Noten

den ungehörigen und für Rußland beleidigenden Prä-
tensionen der Westmächte energischen Widerstand zu leisten.

*   *   *

Der Erfolg, welcher meine Thätigkeit bei Unterdrückung des Aufstandes krönte, vergrößerte — obschon
er den allergünstigsten Einfluß auf den Kaiser ausübte
und den Geist der russischen Partei belebte, indem er
ihr in St.-Petersburg größeres Gewicht verlieh — zugleich auch die Zahl meiner erbitterten Feinde und besonders der Anhänger der polnischen Propaganda, welche
im westlichen Gebiet selbst nicht so gefährlich waren wie
in St.-Petersburg und Rußland, denn damals war
Rußland leider vom allgemeinen Geist des zügellosen
Liberalismus und der Feindschaft gegen jegliche Obrigkeit
und Autorität ergriffen. Die Polen verstanden sich dies
zu Nutze zu machen und nahmen überall, wo sie nur
konnten, in Rußland und besonders in unseren Residenzen
in ihre revolutionären Kreise unbesonnene Russen auf,
welche von den Ideen der Freiheit und Zügellosigkeit
beseelt waren. Auf diese Weise war St.-Petersburg schon
seit lange (d. h. bereits seit 1862) das Centrum der
polnischen Propaganda und viele von unseren Regierungs-
autoritäten waren ein Spielball in den Händen der
polnischen Intrigue, welche sich hinter der Maske des
Liberalismus und derjenigen Reformen verbarg, welche

von der Regierung in allen Zweigen der Staatsverwaltung vorgenommen wurden.

Das Jahr 1863 war insbesondere dadurch bemerkenswerth, daß der polnische Aufstand nicht nur der Regierung in Bezug auf das westliche Gebiet die Augen öffnete, sondern auch die dem Wesen einer Regierung nicht entsprechende Situation, in welcher sich die Verwaltung unserer westlichen Gouvernements befand, die mehr zu Polen als zu Rußland gehörten, offenbarte. Der polnische Aufstand brachte eine bedeutende moralische Umwälzung auch in Rußland hervor. Die von den Ideen des Liberalismus und überhaupt den demokratischen Principien hingerissene russische Jugend kam angesichts der dem Staate durch die Handlungsweise Polens und die Drohungen der Westmächte erwachsenden Gefahr zur Besinnung. Der allgemeine Unwille über den polnischen Aufstand unterdrückte und mäßigte die demokratische Richtung in Rußland in bedeutendem Maße und erweckte allgemein den Geist des Patriotismus und den Wunsch, bei der Unterdrückung der polnischen Rebellion der Regierung zu Hilfe zu eilen. Die für die polnische Propaganda begeisterte russische Jugend in allen Lehranstalten wurde gleichsam ernüchtert. Alle Unruhen und gegen die Regierung gerichteten Manifestationen hörten in den Universitäten und anderen Lehranstalten von selbst auf. Die jungen Gardeoffiziere, welche auch vom Geist des Liberalismus angesteckt waren, änderten ihre Richtung, namentlich diejenigen, welche mit der 1. und 2. Garde-division nach Wilna kamen; sie sahen bald ein, wohin sie die polnische Intrigue und die sogenannte Legalität führte, welche von den Polen gepredigt wurde. Sie überzeugten sich, daß dies ein reiner Betrug seitens unserer Feinde war, die unter dem Schutze der Legalität, welche sie von unserer Regierung forderten, ungestraft im Gebiet alle möglichen Grausamkeiten trieben. Die bald gemachte Erfahrung belehrte sie, daß die von den Polen gepredigte Freiheit, Gleichheit und Unabhängig-keit — nur leere Worte waren, hinter denen sie ihr Bestreben, über das Land und über alle Stände zu herrschen, verbargen, wie dies zu Zeiten der polnischen Republik gewesen war. Sie bemühten sich, unter dem Vorwande der Vaterlandsliebe und der erwähnten Frei-heit jede Regierung, was für eine es auch immer sein mochte, zu stürzen, um ungestraft, wie zu den entschwun-denen Zeiten der polnischen Schljachta, herrschen zu können.

Die in das Gebiet eingewanderten Russen über-zeugten sich bald hievon und weihten sich mit Selbst-verleugnung der Unterdrückung des polnischen Aufstandes im Gebiet und der Befestigung der russischen Nationalität in demselben.

Dieses Kommen und Gehen von Russen machte Rußland mit der Lage der Dinge im nordwestlichen

Gebiet bekannt. Rußland sah endlich, daß es Zeit für die Regierung sei, zu erwachen und für die Rechte der Russen in den westlichen Grenzmarken einzutreten.

Das Jahr 1863 ist natürlich eins der glücklichsten für Rußland durch jene moralische Umwälzung, welche es in den maßlosen, das russische Publikum beherrschenden liberalen Tendenzen hervorbrachte, wie auch ganz besonders dadurch, daß die Polen selbst durch ihre Handlungsweise alle ihre längst geplanten Absichten und ihren hinterlistigen Plan verriethen, unsere Regierung einzuschläfern und unsere westlichen Gouvernements von dem Stammvaterlande, dem großen Rußland zu trennen.

* * *

Die Stimmung der Bevölkerung des nordwestlichen Gebiets zu Anfang des Jahres 1863 war Rußland gegenüber die allerfeindseligste. Ich spreche hier von der sogenannten polnischen Intelligenz, d. h. der Geistlichkeit und der Schljachta; sogar viele russische Gutsbesitzer und Beamte orthodoxer Confession, welche schon lange im Gebiete ansässig waren, folgten der allgemeinen Strömung der polnischen Propaganda, so daß man sich auf sie durchaus nicht verlassen konnte. Es ist bemerkenswerth, daß im Jahre 1862 zu denjenigen Gliedern des Minskischen Adels, welche ein Protokoll über die Vereinigung des Gouvernements Minsk mit Polen abfaßten, auch

Dictator von Wilna.   13

einige orthodoxe Russen gehörten. Mit Bedauern muß ich sagen, daß sich auch in den Insurgentenbanden orthodoxe Russen aus der dortigen Gegend befanden, welche ganz polonisirt waren.

Diese betrübende Erscheinung dient zum Beweise, wie vorsichtig und wie überlegt die Regierung bei der Ansiedelung russischer Gutsbesitzer im Gebiet zu Werke gehen mußte, und daß es nothwendig war, ihnen dort nicht einzeln, ohne Verbindung unter einander, sondern wenn möglich gruppenweise und nahe von einander Wohnsitze anzuweisen, da im entgegengesetzten Falle die Maßnahmen der Regierung zur Befestigung des russischen Elements im Gebiet nicht ihren Zweck erreichen, wie dies die zu den Zeiten Katharina II. und Alexander I. gewonnenen Erfahrungen gelehrt haben. — Dies war der Grund, warum ich in meinen der Staatsregierung vorgelegten Erwägungen vorzugsweise auf die größtmögliche Besiedelung des Gebiets mit Russen hinwies und zwar in nicht weit von einander belegenen Ortschaften mit nicht größeren Landstücken als ca. 500—1000 Deßjätinen Land, damit sich in jenen Gegenden eine starke Landschaft mit russischen Principien bilden könnte. —

Nach der Unterdrückung des bewaffneten Aufstandes in den nordwestlichen Gouvernements im Jahre 1868 arbeiteten die Untersuchungs-Commissionen mit noch größerer Anstrengung an der Aufdeckung geheimer

Verschwörungen der polnischen Propaganda, sowohl im Innern des Gebiets, wie auch außerhalb desselben in Rußland.

Im Jahre 1864 wurden bereits Verbindungen der polnischen Revolutionäre mit unseren Residenzen ermittelt und tiefdurchdachte Pläne zum Sturze unserer Macht in diesem Gebiete aufgedeckt, aber Alles dies genügte nicht, um die Hauptmachthaber in St.-Petersburg von der Nothwendigkeit energischer Maßnahmen zur Vernichtung der polnischen Propaganda und zur Russificirung des Gebiets zu überzeugen. Nur der Kaiser und einige Personen, deren ich oben Erwähnung gethan, unterstützten das von mir zur Befestigung des russischen Volksthums im Gebiete befolgte System. Keine auf Thatsachen gegründeten Argumente genügten, um die kosmopolitischen Tendenzen Walujew's, des Chefs der Gensdarmen Fürsten Dolgorukow und vieler Anderen zu erschüttern. Obgleich das Gebiet äußerlich pacificirt war, war der Kampf nach St.-Petersburg hin verpflanzt worden, von wo ich nur mit großer Mühe die Auslieferung einiger Personen erreichen konnte, welche der Betheiligung an Verschwörungen gegen die Regierung überwiesen waren und den Mittelpunkt der polnischen Vereinigungen in der Residenz bildeten. Es war klar, daß die fernere Verwaltung des Gebiets unmöglich wurde, wenn man nicht die Feinde Rußlands in der Residenz selbst vernichten konnte. —

13*

Das Jahr 1865 war ein Uebergangsjahr für den erwarteten Wechsel in der Verwaltung des westlichen Gebiets. Die Polen kamen wie immer selbst der Regierung zu Hilfe. Sie geriethen außer sich vor Freude, als ich das Gebiet verließ und hofften, mit Unterstützung der St.-Petersburger Autoritäten, die Regierung gegen das im Gebiete inaugurirte Verwaltungssystem, welches von meinem Nachfolger, dem Generaladjutanten Kaufmann so gewissenhaft aufrechterhalten wurde, zu erregen. Sie begingen so viele Thorheiten, indem sie auf verschiedene Weise ihr Bestreben, das Gebiet von Rußland zu trennen, an den Tag legten, daß sich endlich der Kaiser selbst von der Nothwendigkeit überzeugte, das eingeführte Verwaltungssystem beizubehalten und dasselbe auch auf das südwestliche Gebiet, zu dessen Generalgouverneur Generaladjutant Bezak ernannt wurde, auszudehnen.

Die Wirksamkeit des Generals Bezak, welche mit den im nordwestlichen Gebiet bereits ergriffenen Maßregeln übereinstimmte, erzielte die günstigsten Resultate. Das polnische Element begann, angesichts der von der Regierung ergriffenen energischen Maßregeln, sich zu beruhigen, besonders als neuerdings die Bestimmungen über die Regelung der bäuerlichen Verhältnisse in gleicher Weise, wie in den meiner Verwaltung anvertraut gewesenen Gouvernements, eingeführt wurden.

Zu Ende des Jahres 1865 erachtete es der

Domänenminister, Generaladjutant Selëny für gerathen und möglich, den von mir schon 1864 verlautbarten Vorschlag über den obligatorischen Verkauf der sequestrirten Güter und über die Ansiedlung russischer Grundbesitzer im Gebiet zu erneuern. Der Kaiser, welcher im Jahre 1864 mehr als einmal den Vorschlag entschieden zurückgewiesen hatte, erklärte sich diesmal nicht nur einverstanden mit demselben, sondern bestätigte sogar am 10. December 1865 die höchst nützliche Maßregel, wonach den polnischen Gutsbesitzern im gesammten westlichen Gebiet verboten wird, ihre Güter an Personen polnischer Herkunft zu verkaufen.

Der Kaiser war in so hohem Grade von der Nothwendigkeit der Befestigung des russischen Elements im Gebiet überzeugt, daß er sogar am 1. Januar 1866 als Antwort auf die Glückwünsche zum Jahreswechsel beiden Generalgouverneuren (von Kiew und von Wilna) dankte und ihnen seinen Willen und unabänderlichen Wunsch aussprach, das Gebiet definitiv zu russificiren.

Auf diese Weise war das Jahr 1865 ein Uebergangsjahr für die russische Sache im westlichen Gebiet, und mit ihm beginnt eine neue Aera selbständigen Auftretens der Regierung, welche fortan das Ziel verfolgte, das Gebiet sowohl in moralischer als politischer Beziehung definitiv mit Rußland zu verschmelzen.

Als ich im Jahre 1864 dem Kaiser meine Denkschrift

über einige die zukünftige Organisation des nordwestlichen
Gebiets betreffende Fragen vorlegte, wies ich entschieden
und fest auf die Nothwendigkeit hin, sich davon zu überzeugen, daß das nordwestliche Gebiet kein polnisches,
sondern daß es nur ein in Folge von Fehlern, die unsere
Regierung begangen, polonisirtes sei. Diese Anschauung
widersprach so sehr den Ansichten der obersten Machthaber, daß die Majorität der Glieder des Minister-
comités und selbst der Präsident desselben, Fürst Gagarin,
sich bemühten, diesen Punkt ohne jede Antwort zu lassen,
und obgleich sie sich mit meinen Vorschlägen einverstanden
erklärten (russische Schulen im Gebiet zu eröffnen, die
polnische Sprache aus dem officiellen Verkehr und aus
den Lehranstalten zu verbannen, die polnischen Beamten
durch russische zu ersetzen, der polnischen Propaganda
Grenzen zu setzen, den Bau von katholischen Kirchen und
Kapellen, sowie die Ernennung neuer Geistlichen ohne
zuvor eingeholte Genehmigung der Ortsobrigkeit zu ver-
bieten), so entschlossen sie sich doch erst nach heftigen De-
batten dazu, dies Alles zu bestätigen. Die Vorschläge betr.
Aufbesserung der Lage der orthodoxen Geistlichkeit im nordwestlichen Gebiet, sowie die Errichtung orthodoxer Kirchen
fanden lebhafte Opposition und diese Frage wurde nur
durch den erhabenen Willen des Kaisers entschieden. Was
die von mir beantragten Maßnahmen in Betreff des Ver-
laufs der sequestrirten Güter betrifft, so wurde dieser

Vorschlag ganz verworfen, ebenso wie die Abänderung
des römischen Concordats von 1847, zu welcher uns
die geharnischte Allocution des Papstes gegen den Kaiser
und unsere Regierung überhaupt vollkommen berechtigte.
In der Folge traten die Tendenzen der Curie noch
mehr zu Tage, und im Jahre 1866 entfernte der Papst
aus eigener Machtvollkommenheit unseren Gesandten
und die ganze Gesandtschaft aus Rom; aber leider hat
man im Ministerium des Auswärtigen zur Zeit
(4. April 1866) noch keine Stellung zur Abänderung
des Concordats genommen.

Was meine Vorschläge betrifft: die Polizei- und
Postämter auch im Innern des Reichs nicht mit polnischen Beamten zu besetzen und in den Ministerien
keinen Polen zu hervorragenderen Posten zuzulassen, da
ihr Einfluß sichtlich von nachtheiligem Einfluß auf die
Regierung ist — so erfolgte hierauf die Resolution des
Minister-Comités: „den Ministern zur Erwägung mitzutheilen." — Diese Erwägungen werden augenscheinlich
noch heute (4. April 1866) fortgesetzt, da alle bedeu-
tenderen Aemter sowohl in St.-Petersburg als auch im
Innern des Reichs mit Polen besetzt sind.

Unabhängig hievon schlug ich vor und forderte
sogar die Zustimmung der Regierung zu den von mir
in Bezug auf die Regelung der bäuerlichen Verhältnisse
im nordwestlichen Gebiet erlassenen Verordnungen. Nach

überaus langwierigem Streite und Widerstande mußte endlich das Minister-Comité mir beistimmen und die Maßnahmen bestätigen, was bei den polnischen Gutsbesitzern einen allgemeinen Schrei der Entrüstung hervorrief, denn sie wollten die volle Möglichkeit beibehalten, die Bauern zu bedrücken und ihnen ihre besten Landstücke wegzunehmen, und begriffen vollkommen, daß mit dem gänzlichen Aufhören ihres Einflusses auf die Bauern auch ihre Herrschaft im Gebiete völlig zu Ende wäre und daß die Landbevölkerung, welche der Regierung ergeben ist, stets zum Schutz gegen die Bestrebungen der polnischen Propaganda dienen würde.

Obgleich auf diese Weise im Juni 1864 die von mir in Vorschlag gebrachten Maßregeln mehr oder weniger bestätigt wurden (welche übrigens, da sie zu der Zeit, als der Aufruhr auf seinem Höhepunkte stand, unaufschiebbar nothwendig waren, von mir schon früher zum großen Theil in Kraft gesetzt worden waren), so hatte die von der Regierung gleichsam erzwungene Zustimmung in vielen Regierungsbeamten eine feindselige Stimmung gegen das von mir eingeführte Verwaltungssystem hinterlassen, und daher fand ich in St.-Petersburg nicht nur keine Unterstützung, sondern es wurden im Gegentheil alle Mittel angewandt, um mir nach Möglichkeit entgegenzuwirken. Auf solche Weise verging das Jahr 1864, welches ich jedoch zur Ausführung aller bestätigten Maßregeln benutzte.

Die Sympathie und Bereitwilligkeit der eingewanderten Russen, die russische Nationalität und die Orthodoxie im Gebiet zu befestigen, war so groß, daß es mir gelang, in weniger als einem Jahre alle obenerwähnten Maßnahmen im Gebiet durchzuführen.

Zu Anfang des Jahres 1865 waren bereits sämmtliche Gymnasiallehrer Russen, so daß die polnische Sprache nicht mehr in den Schulen gelehrt wurde; mit Hilfe der Geistlichkeit und der Friedensrichter eröffnete das Unterrichtsressort überall Volksschulen, so daß deren bereits gegen 600 existiren. Der Unterricht in denselben wurde von russischen Seminaristen ertheilt, von denen einige Hunderte auf meine Verwendung bei den betreffenden Eparchialbischöfen, aus den inneren Gouvernements ins Land kamen. Fast in allen Städten, wie auch in den Dörfern wurden aus den von der Regierung bewilligten Summen, sowie aus den durch die Contribution zusammengeflossenen Geldern steinerne orthodoxe Kirchen erbaut; einige derselben wurden sogar zu Beginn des Jahres 1865 eingeweiht. Es wurden Kirchenvorstände aus den Bauern und überhaupt aus den Gliedern der orthodoxen Gemeinden gebildet, welche die Kirchenbauten eifrig durch Geld und Arbeit förderten. Die orthodoxe Geistlichkeit lebte sichtlich auf und wirkte

18**

eifrig mit. Ich hatte für dieselbe eine bedeutende Subvention (im Betrage von 400,000 Rbl. jährlich) aus den Contributionssummen ausgewirkt, so daß alle Landgeistlichen ein festes Gehalt bis zu 280 Rbl. und die Stadtgeistlichen bis zu 700 Rbl. jährlich erhielten. Die russischen Beamten aller Ressorts empfingen bereits im Jahre 1864 eine Zulage von 50 % ihres Gehalts aus den Contributionssummen. Das Gehalt der Friedensrichter wurde ebenfalls um je 500 Rbl. erhöht, so daß alle im Gebiet wirkenden Russen, vollständig sichergestellt, treu und wahr an der Festigung der russischen Sache im Gebiet arbeiteten.

Beendet am 4. April 1866.
St.-Petersburg.

Verlag von **Duncker & Humblot** in Leipzig.

Aus der

Petersburger Gesellschaft.

Zwei Bände.

Preis des Bandes 7 Mark 20 Pf.

I.

Fünfte,

vermehrte, bis auf die Gegenwart fortgeführte Auflage.

Inhalt: I. Aus den Tagen des Kaisers Nikolaus. — II. Die Großfürstin Helene. — III. Graf Schuwalow. — IV. Die Gräfin Antoinette Bludow. — V. Die Grafen Adlerberg. — VI. Die Brüder Miljutin. — VII. Die drei Turgenjew. — VIII. Graf Protassow. — IX. P. A. Walujew. — X. Unsere Unterrichts- minister. — XI. Fürst Gortschakow. — XII. Schriftsteller und Journalisten. — XIII. Ignatjew.

II. Neue Folge.

Dritte,

vermehrte, bis auf die Neuzeit fortgeführte Auflage.

Inhalt: I. Die Nationalitäten. — II. Kaiserliche Brüder und Söhne. — III. Fürst Bismarck in St. Petersburg. — IV. Puschkin und Dantès. — V. Wassily-Ostrow und die Akademie der Wissenschaften. — VI. Das höhere Beamtenthum. — VII. Die Umgebung Kaiser Alexanders II.

Berlin und St. Petersburg.

Preußische Beiträge

zur

Geschichte der Russisch-Deutschen Beziehungen.

Erste und zweite Auflage.

Preis 6 Mark.

Inhalt: I. Zu den Zeiten des Kaisers Nikolaus. — II. Der polnische Aufstand von 1863. — III. Das neue Deutschland und das neue Rußland. — Anhang: 1. Memoire des Kaisers Nikolaus aus d. J. 1848. — 2. Warschauer Zustände.

Verlag von **Duncker & Humblot** in Leipzig.

Von Nikolaus I. zu Alexander III.

St. Petersburger Beiträge
zur neuesten russischen Geschichte.

Erste und zweite Auflage.

Preis 8 M.

Inhalt: I. Aus der „Dritten Abtheilung". — II. Die Petraschewskische Verschwörung (1848—49). — III. Die russische Emigration in London 1852—64. — IV. Feldmarschall Paskewitsch und M. D. Gortschakow. — V. Eine russische geheime Denkschrift von 1864. — VI. Eine russische geheime Denkschrift von 1868/69. — VII. Zwei neue Actenstücke zur Geschichte des polnischen Aufstandes von 1863. — VIII. Der Ausgang Alexanders II. — Nach dem 13. März.

Russische Wandlungen.

Neue Beiträge
zur Russischen Geschichte von Nikolaus I. zu Alexander III.

Erste und zweite Auflage.

Preis 8 M.

Inhalt: I. Kaiser Nikolaus und die Julirevolution. — II. Polnisch-russische Aussöhnungsversuche. — III. Aus dem Lustlager von Kalisch (11.—22. Sept. 1835). — IV. Vier Actenstücke aus der Regierungszeit Alexanders II. — V. Unter Alexander III. — Anhang.

Lose Blätter
aus dem

Geheimarchiv der Russischen Regierung.

Ein actenmäßiger Beitrag
zur neuesten Geschichte der russischen Verwaltung
und Beamten-Corruption.

Erste und zweite Auflage.
Preis 3 M. 20 Pf.

040 A   -   6034